Les **pourquoi** en images

ISBN : 978-2-36658-007-5

Les **Pourquoi** en images

Philippe Vandel

Illustrations de
Cathy Karsenty

KERO

Préface

C'est la sagesse même : un bon ✒ vaut mieux qu'un long ⌨. Le 📖 que vous tenez entre les ✋ est d'un genre particulier. Ce sont des **Pourquoi** *en images*. Pas illustrés. En images. Nuance. C'est que l'explication est visuelle. Pourquoi il n'y a pas de nourriture pour chat au goût de 🐭 ? La réponse est magnifique, mais purement cérébrale : je ne l'ai donc pas ☒ parmi les 🗐. En revanche, vous saurez dans quelques 🕐 pourquoi les touches d'un ☎ sont placées ≠ de celles d'une 📱. Pourquoi ? Ou pourquoi on trempe ses ☽ dans son café au lait (cela fait l'effet d'une 💣)...

Cet ouvrage vous apprendra **100** choses, car il n'y a rien de pire que d'être pris pour une 🔔, pour un β, voire pour un 🐭.

Mais ⚠... C'est un livre d'un genre particulier, car la réponse aux interrogations se fait en partie à l'aide d'une image, c'est pourquoi je vous recommande de résister à la tentation de tourner la page pour avoir l'explication ; l'impatience est l'ennemie du suspense (désolé de cette phrase trop ⌛, mais va trouver des 💤 pour illustrer impatience et suspense !)

Grâce soit rendue ici à Cathy Karsenty, qui a d'abord ✏ puis ✍ avec grand talent et beaucoup de patience (le 📂 de sa chaise en sait quelque chose). Vous verrez § après § que 💻 et 🖊 se 👀 à merveille, 👍 et même parfois ✌. Et sans bla-bla ! La ☠ dans l'âme, je me suis souvent résolu à ✂, sans hésiter à sortir la 🗑. Nous ✈ envie de chasser les longueurs. Justement : assez bavardé ❺❹❸❷❶ !

Les **Pourquoi en images**™, c'est 👉...

Philippe Vandel

Pourquoi les plaques d'égout sont-elles rondes ?

On ne peut pas les rater, le nez collé au bitume pour éviter de marcher dans les déjections canines. Ça porte bonheur ? Alors au bout de la dixième, c'est trop de bonheur… Par ailleurs, le grand malheur serait qu'un égoutier oublie de refermer une bouche, pas forcément la sienne, et que vous tombiez dedans. Bref, en tout état de cause, vous savez que les plaques d'égout sont invariablement rondes. Pour quelle raison ?

Pour tenir moins de place, au stockage et au transport ? Non. Dans ce cas, on aurait conçu des plaques carrées ou rectangulaires, qui sont les formes qui occupent le mieux l'espace.

Arrondies pour épouser les formes humaines ? Certes. L'égoutier vu de dessus s'apparente davantage à un cercle qu'à un polygone régulier, mais tant qu'à faire, la forme la plus ergonomique – j'allais dire humaine – est l'ovale, ou l'ellipse (à moins que l'égoutier, obèse, ait été viré de chez Weight Watchers pour atteinte au moral des troupes).

Il y a donc une autre raison qui a poussé l'homme et l'ingénieur à fabriquer des plaques d'égout circulaires.

On pourrait remarquer que leur forme les rend plus aisées à faire rouler ; beaucoup plus facilement que si elles étaient hexagonales. Certes, mais ce déplacement excède rarement quelques mètres. D'autre part, il est rare que les ingénieurs se soucient à ce point du sous-prolétariat (si un ingénieur sommeille en chaque homme, l'inverse reste à prouver).

Là, ça rentre...   Là, ça rentre pas...

L'explication est beaucoup plus futée : grâce à leur forme, les plaques rondes ne peuvent en aucun cas tomber dans le trou. Je m'explique.

Supposons que les plaques d'égout soient carrées. Le côté d'un carré est forcément plus court que sa diagonale. Par conséquent, si la plaque se présente verticalement dans la diagonale du trou, elle y choira. Vlan ! Cent kilos de fonte sur le crâne. Malheur au malheureux qui travaille en dessous, malheureusement.

En revanche, quelle que soit la manière dont on la dispose au-dessus du trou, une plaque ronde n'y tombera jamais. Effectivement, de par sa forme, elle ne pourra se présenter au-dessus du trou que d'une seule manière. Son diamètre lui tient lieu de diagonale. Dans tous les cas, le diamètre de la plaque est inférieur à celui du trou de quelques centimètres, à cause du rebord. Aucun risque de chute inopinée.

Attention : cette explication ne vaut que pour les plaques d'égout. Obélix aussi était rond. Cela ne l'a pas empêché de tomber dedans quand il était petit.

Jusqu'à preuve du contraire...

Pourquoi
mesure-t-on la vitesse
des bateaux en nœuds ?

Vous l'avez remarqué pendant votre stage de voile au Croisic, ou quand Olivier de Kersauson passe aux *Grosses Têtes*. Les nœuds mesurent la vitesse des bateaux. Cela impressionne le profane, et ça permet surtout à Kersauson d'enquiller de désopilants jeux de mots.

Sans contrepèterie, c'est quoi un nœud ? Un nœud est la vitesse uniforme qui correspond à 0,514 m par seconde, soit – vous vous en doutiez – 1,852 km par heure, ou encore un mille par heure. Notez que son emploi est uniquement réservé à la navigation (maritime ou aérienne).

Mais pourquoi les nœuds ? Pourquoi pas les cordes, tant qu'à faire simple ?

À la naissance de la marine, et longtemps après, les marins n'étaient pas capables de calculer une distance sur l'eau. Sous Vercingétorix, ils ignoraient combien il y avait de kilomètres entre Nice et Ajaccio. Et ils ne le savaient pas mieux sous Robert II le Pieux (996-1031). D'ailleurs, à l'époque, personne ne pouvait vous dire combien mesurait un kilomètre. Bref, les marins étaient incapables d'établir la vitesse de leurs bateaux, étant donné que la vitesse se calcule en divisant la distance parcourue par le temps écoulé.

Cependant, à défaut d'être équipés en chronographes, nos ancêtres matelots étaient astucieux. Au début du XVIIIe siècle, ils eurent l'idée d'attacher à la poupe (à l'arrière) de leur bateau une corde pourvue de nœuds à intervalles réguliers, tous les cinquante pieds ; une corde à nœuds, en fait.

Quand le bateau était à l'arrêt, la corde tombait verticalement. Un observateur placé au-dessus d'elle ne pouvait voir aucun nœud affleurer à la surface de l'eau. Il en déduisait que la vitesse du bateau était nulle.

Plus le rafiot accélérait, plus la corde s'élevait à l'horizontale, sous l'effet de la vitesse. Donc, plus le bateau avançait, plus on pouvait compter de nœuds. Un marin était d'ailleurs chargé de cette tâche fastidieuse.

Le temps a passé. Le génie humain a inventé depuis le système métrique, l'horloge à moteur et le tachymètre. Mais l'empirique unité est restée. N'en déplaise aux têtes de nœud.

Jusqu'à preuve du contraire…

Pourquoi les clignotants clignotent-ils ?

« Ça marche… ça marche pas… ça marche… ça marche pas… » Vous connaissez l'histoire du Belge qui vérifie le fonctionnement de ses clignotants. Un coup oui, un coup non… Pourquoi ce fonctionnement spasmodique ?

J'entends d'ici la réponse : les clignotants clignotent pour que notre œil les remarque. Oui, forcément, banane. Mais comment se fait-il qu'on les repère mieux qu'une lumière fixe ? Car, par définition, ils sont éteints la moitié du temps, ils émettent donc deux fois moins de lumière, deux fois moins de photons ; et pourtant on les remarque deux fois plus.

La réponse est élémentaire : parce que nous mangeons de la viande…

Si ! Reprenons depuis le commencement, ou pas loin : il y a quelques millions d'années, entre deux et cinq millions. Nous voici au pliocène, les premiers hommes apparaissent sur terre. Le vieux Néandertal s'éteint. Il se nourrissait de fruits, de racines et de quelques insectes. Mais l'homme du pliocène découvre la viande, la vraie. D'abord par charognage (il récupère des carcasses mortes), puis il se met à chasser. Des proies vivantes.

Des proies qui bougent donc. Ce sont leurs déplacements que l'œil a appris à détecter. La loi de l'évolution a programmé notre vision pour réagir aux variations d'image. Imaginez un lézard sur des pierres. Immobile, il se confond avec le décor. Qu'il décampe, et on ne voit plus que lui ; comme dit l'expression, ça saute aux yeux ! À l'inverse, les insectes butineurs réagissent précisément à certaines formes et certaines couleurs, celles exclusivement des fleurs dont ils se nourrissent.

Revenons à notre clignotant. Ce que notre vue perçoit en priorité, ce n'est pas la lumière qu'il émet. C'est que la lumière qui était là *n'y est plus*. Et soudainement, une nouvelle lumière apparaît ! Le clignotant agit comme une proie appétissante. Tic-tac-miam !

Conséquence pratique… au restaurant. Vous voulez faire signe au patron à l'autre bout de la salle ? Inutile de le fixer en attendant en vain de croiser son regard de myope. Dès qu'il aura la tête tournée dans votre direction, bougez le bras. Il vous verra. Vous pourrez alors commander votre plat.

Du jour.

Jusqu'à preuve du contraire…

Pourquoi
l'aviateur Lindbergh n'a-t-il pas été porté en triomphe à son arrivée de la traversée de l'Atlantique ?

C'est peut-être le plus bel exploit aérien depuis Icare. 1927. Pour la première fois de l'histoire des hommes, un aviateur réalise, seul et sans escale, la traversée de l'océan Atlantique. Parti de New York le 20 mai, Charles Lindbergh se pose au Bourget le lendemain. Une foule nombreuse est là pour accueillir le héros. On l'entoure, on l'acclame, on lui serre la main, on l'embrasse... Mais contrairement à Louis Blériot, qui a traversé la Manche en 1909, de Calais à Douvres, personne ne porte Lindbergh en triomphe. Son exploit est pourtant autrement plus impressionnant : trente-trois heures de vol contre seulement trente-sept minutes pour Blériot. Pas des minutes, des heures !

C'est là que réside l'explication.

Un des problèmes à résoudre pour réussir ce périple était d'alléger au maximum l'avion afin de limiter la consommation de carburant. Rien n'a donc été prévu pour que Lindbergh fasse ses besoins naturels. En guise de toilettes : sa combinaison de vol, qui a dû être jetée à l'arrivée, irrécupérable. Pas étonnant que, à sa descente de l'avion, on l'ait félicité de loin, sans le porter sur ses épaules. Ou alors c'est votre chemise qui était bonne pour le pressing !

Jusqu'à preuve du contraire…

Pourquoi
les requins s'attaquent-
ils aux surfeurs ?

C'est le grand plaisir des journalistes en mal d'inspiration : les attaques de surfeurs par des requins. Ça c'est bon, coco ! À chaque morsure, une citation au JT. À chaque décès, une équipe de reportage dépêchée sur place. Loin de moi l'idée de minimiser la douleur des familles, mais apprenez que les requins tuent quatre ou cinq malheureux par an, sur toutes les mers du globe. À titre de comparaison, les accidents de la route suppriment 1,3 million de personnes dans le monde chaque année, et en blessent 40 fois plus ! Et question insolite, vous avez 325 fois plus de chances de décéder après avoir embouti un cerf en voiture. Combien avez-vous vu de reportages sur le sujet ?

Revenons aux squales. Une conjonction de facteurs explique les attaques de requins contre les surfeurs, ou plutôt un enchaînement de faits.

Tout d'abord, certaines circonstances attirent les requins près des côtes. Naturelles, d'une part, lorsque les pluies d'orage entraînent des déchets organiques vers la mer, par le déferlement des torrents (valable, par exemple, à La Réunion, où les côtes sont escarpées) : les requins trouvent alors des petites charognes à se mettre sous la dent sans trop d'efforts. Une autre cause est directement liée à l'activité humaine : le rejet des poubelles dans la mer. Les requins trouvent là de quoi se nourrir. Ajoutez à cela la raréfaction de la nourriture dans leurs zones de chasse, conséquence de la pêche intensive. Privés de leurs ressources premières, les requins doivent trouver de nouveaux « spots » de chasse.

Voilà donc le requin près des côtes, l'appétit aiguisé. Que voit-il ? Sa proie favorite ! Non pas l'homme. Mais…

La tortue !

Avouez que, vu d'en dessous, ça se ressemble beaucoup.

Il faut ajouter que les requins, malgré une vue très sophistiquée (ils sont notamment capables d'activer une sorte de « vision nocturne » grâce à un dispositif derrière leur rétine qui leur permet, en cas de lumière faible, d'amplifier ce qu'ils perçoivent), sont myopes, car leur cristallin se déforme peu.

Voilà qui ne les aide pas à distinguer leur dîner d'un surfeur.

Jusqu'à preuve du contraire…

Pourquoi
dit-on d'un mari cocu qu'il a « les cornes » ?

Même le plus fidèle d'entre nous connaît cette sinistre expression. Quand une femme mariée trompe son conjoint, on dit que le malheureux porte « les cornes ». Suivant son degré de cocufiage, on précisera même leur taille : les unes ne dépassent pas quelques centimètres, certaines s'élèvent jusqu'au lustre de la chambre à coucher, qui n'en a plus guère, alors que d'autres frottent au plafond au point de l'empêcher de remuer la tête.

Vous en conviendrez : le mâle véritable ne connaît rien de plus déshonorant que d'avoir les cornes. Et pourtant, chez les animaux sauvages, du chamois au rhinocéros, en passant par le hanneton, de grosses cornes symbolisent au contraire l'orgueil, la force, en un mot la virilité.

Alors, pourquoi une telle expression ?

Parce que la langue française est merveilleuse de précision.

Imaginez qu'un homme porte physiquement, sur le front, une bonne grosse paire de cornes. Ma foi, il sera le seul à ne pas pouvoir les admirer ! Tout le monde les verra, sauf lui.

« Avoir les cornes » signifie non seulement « être cocu », mais surtout « ne pas le savoir », alors que tout le village est au courant. Et en profite le cas échéant…

Mes amitiés à Madame. Et gardez confiance.

Jusqu'à preuve du contraire…

Pourquoi
les chats retombent-ils
toujours sur
leurs pattes ?

Bien que les chats soient très agiles, il leur arrive parfois de tomber d'un arbre, de la table ou d'une chaise. Et pas seulement dans les dessins animés, où ils se font très mal, mais sans souffrir.

Lorsqu'un tel incident se produit, un réflexe dit « d'équilibration » entre aussitôt en jeu. Grâce à lui, les chats retombent toujours sur leurs pattes. Sans lui, ils se briseraient les reins.

Pour comprendre comment le chat se gamelle avec autant de talent, des zoologues consciencieux l'ont filmé au super-ralenti, avec une caméra spéciale. Qu'ont-ils découvert ?

Qu'au moment même où il amorce sa chute, le corps de votre matou se disloque par une réaction automatique de torsion. Sa tête pivote jusqu'à ce qu'elle se retrouve à l'horizontale, puis les pattes antérieures se rassemblent pour protéger le museau en cas de choc. Enfin, la colonne vertébrale se tord pour placer l'arrière-train dans l'alignement par rapport à la tête. Pour finir, lorsqu'il est sur le point de toucher le sol, il étire ses quatre pattes pour qu'elles amortissent le choc en fléchissant. Le tout en une fraction de seconde…

Dernière question. Pourquoi ce phénomène est-il possible chez le chat, et non pas chez le chien, ni même la vache nantaise ?

À cause de la queue. Dès le début de sa chute, la queue du chat se raidit, et tourne comme une hélice, en sens inverse, pour faire contrepoids. L'animal retrouve ainsi son orientation initiale.

Retomber sur ses pattes grâce à sa queue : voilà une philosophie à méditer.

Jusqu'à preuve du contraire…

Pourquoi
les marins ont-ils
un grand col bleu ?

Et pourquoi un pompon rouge ?

Vous avez déjà admiré les gars de la Marine dans leur bel uniforme : ils sont en blanc, de la tête aux pieds, avec, au sommet, un immense col bleu qui entoure leurs épaules musclées. Raffinement ultime, quelques liserés blancs tracent le dessin de ce col. Mais au fait : pourquoi est-il bleu ? Et pourquoi si large ?

Le col bleu remonte au temps où les hommes portaient les cheveux longs. Pas en 1968, mais à l'âge d'or des pirates et des corsaires, il y a plusieurs siècles. À l'époque (déjà !), les marins n'échappaient pas à la mode. Ils portaient donc les cheveux longs. Et sales !

Or la lessive, sur les bateaux, cela n'était pas leur point fort. Alors, pour ne pas avoir à laver trop souvent l'uniforme blanc, qui se retrouvait très vite gris dans le haut du dos, on a rajouté un grand col, indépendant du costume. Quand il était sale, on le retirait pour le remplacer par un tout propre, grâce à un système rudimentaire de pressions.

Vous allez me dire : le col bleu, c'est bien joli ; mais pourquoi les marins arborent-ils fièrement un pompon rouge au sommet du béret, telle une cerise sur une tarte meringuée ?

L'explication réside (une fois de plus) dans le côté pratique de la chose.

Le pompon au sommet du crâne empêchait tout simplement les marins de se faire mal quand ils se cognaient la tête à l'entrepont ou aux portes de cabines particulièrement basses.

Dans les premiers temps, les marins tricotaient eux-mêmes non seulement leur pompon, mais aussi leur bonnet de travail. D'abord de toutes les couleurs. Et c'est un décret officiel du 27 mars 1858 de la Marine française qui a ordonné que tous les pompons soient désormais rouges. Garance exactement. La discipline avant tout.

Jusqu'à preuve du contraire…

Pourquoi
le climat est-il doux à Nice et froid à New York, alors que les deux villes sont à la même latitude ?

Vous auriez pu en demander confirmation à Météo-France. Plus près de nous, interrogez n'importe lequel de vos amis qui revient des États-Unis.

C'est particulièrement sensible à l'automne. Alors qu'il fait encore bon à Nice, on se les gèle à New York où il faut sortir les gants et les écharpes. Pourtant, les deux villes sont à la même latitude, autrement dit à la même hauteur par rapport à l'Équateur. Au passage, elles ont également la même altitude : l'une les pieds dans la Méditerranée, l'autre dans l'océan Atlantique.

Alors pourquoi ? À cause des vents.

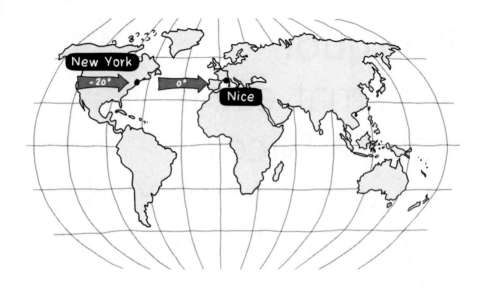

Je ne vais pas vous apprendre que la terre tourne sur elle-même. Dans l'hémisphère nord (donc à Nice et à New York), les vents soufflent en général de l'ouest vers l'est. Exemple en France : les vents viennent plus souvent de Bretagne que d'Alsace. Par conséquent chargés d'humidité, puisque l'air du large passe au-dessus de la mer.

À New York, les vents viennent également de l'ouest. Mais à l'ouest de New York, il n'y a pas d'océan : c'est la terre d'Amérique elle-même.

Or chacun sait que les mers tempèrent le climat, comme un radiateur géant. Elles réduisent les écarts climatiques. Forcément, l'eau ne peut physiquement guère descendre en deçà de sa température de glaciation, alors que le Kansas et le Wisconsin connaissent régulièrement des nuits à -20 degrés.

New York vit donc sous un climat continental. Glacial en hiver, étouffant en été. Exactement comme Moscou en Europe.

Inversement, la douceur règne sur la côte ouest des États-Unis, de San Francisco à Los Angeles. Grâce, cette fois, au Pacifique.

Jusqu'à preuve du contraire…

Pourquoi
représente-t-on
les saints
avec une auréole
au-dessus de la tête ?

Vous avez déjà vu des images de saints au cours de vos lectures pieuses. Comme saint Christophe, patron des automobilistes ; saint Cloud, fils de Clodomir, qui ne veille pas – paradoxalement – sur le tunnel qui porte son nom ; ou sainte Barbe qui encourage les pompiers, même moustachus.

À chaque fois, l'artiste les a représentés avec une lumineuse auréole au-dessus de la tête. Pour quelle raison ?

L'avaient-ils lorsqu'ils habitaient encore le monde des vivants ? Hélas non.

Les historiens datent du VIIe siècle l'adoption généralisée de l'auréole. Pour une raison étrangement utilitaire.

Elle servait tout simplement de parapluie aux statues exposées à l'extérieur des sanctuaires, qui subissaient les assauts répétés des intempéries, de l'érosion et des fientes d'oiseaux.

Les premières auréoles, en bois ou en cuivre, avaient la forme de grandes assiettes circulaires. Mais elles conféraient au saint qu'elles protégeaient un port de tête si majestueux, que même les peintres et les sculpteurs de bas-reliefs les ont adoptées dans leurs œuvres.

Sauf Kandinsky et Jackson Pollock.

Jusqu'à preuve du contraire…

Pourquoi
les écureuils ont-ils une grosse queue ?

Laissez-moi vous prévenir et devancer les critiques comme les compliments : non, je ne me permettrai aucune plaisanterie facile dans ce chapitre. Et rien de moins facile.

La queue des écureuils, quelle que soit leur espèce, n'est pas loin d'être aussi grosse et longue que leur corps. C'est d'ailleurs cette terminaison mobile et velue qui a donné son nom à l'animal, preuve qu'elle est fondamentale. Écureuil vient en effet du latin *sciurus*, lui-même dérivé de deux mots grecs : *skia*, l'ombre, et *oura*, la queue. Littéralement : *skiouros*, celui qui se met à l'ombre de sa queue. Une queue si imposante qu'elle est multifonction…

La queue de l'écureuil a une fonction première très importante, liée à son mode de déplacement : elle lui sert de balancier lors de sauts. Un peu à la manière des chats (voir « Pourquoi les chats retombent-ils toujours sur leurs pattes ? »). Mais il y a mieux : en cas de chute ou de saut impliquant une dénivellation importante, elle peut, d'une certaine manière, lui servir de parachute, la surface qu'elle représente contrebalançant le petit poids de l'animal.

Comme l'étymologie le suggère, elle lui permet aussi de se mettre à l'ombre, voire de se protéger de la pluie. Elle sert également de couverture pour les petits, en cas de froid.

Mais il y a mieux encore. Et cela se passe dans les arbres.

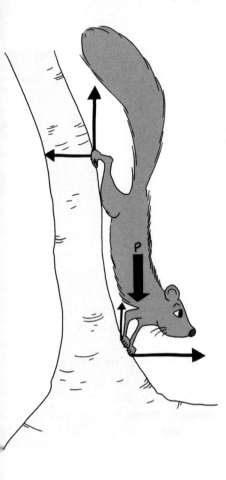

Les écureuils courent sur les branches de la même façon que sur la terre ferme, y compris lors des déplacements verticaux. L'écureuil est capable de descendre d'un tronc d'arbre la tête la première. Comment ? En faisant pivoter ses pattes (que les spécialistes appellent des mains), il ramène ses doigts vers l'arrière, ce qui lui permet de planter ses griffes dans l'écorce et de s'y agripper, contrebalançant ainsi son poids (P). La queue aide alors à équilibrer l'animal, en plaçant son centre de gravité le plus près possible du tronc.

Enfin, *last but not least*, un chercheur californien a mis en évidence une fonction inédite : l'écureuil se sert de sa queue pour faire peur à un de ses prédateurs, le serpent. Mais pas en l'agitant sous ses yeux. Non, de manière beaucoup plus subtile… en la chauffant ! Grâce à une caméra infrarouge, les zoologues ont découvert que le changement de chaleur de la queue, que le reptile détecte, ajouté aux mouvements que l'écureuil lui imprime, effraient le serpent, le poussant à abandonner la chasse.

Jusqu'à preuve du contraire…

Pourquoi
les couteaux de table
ont-ils le bout
arrondi ?

Vous savez faire la différence entre un couteau de table et un couteau de chasse. S'ils tranchent tous deux pareillement la viande, le second est pointu, tandis que le premier s'arrondit à l'extrémité.

Pourquoi cet enfantillage ? Ne me dites pas que dans un banquet, la propension des convives les pousserait alors à se percer la poitrine plutôt que de fêter un baptême, un mariage, un bel enterrement, ou un divorce réussi.

Non. Vous ne me le dites pas. Avec raison.

Autrefois, les premiers couteaux de table avaient la pointe aiguisée comme des sabres de cosaques. Comme tous les autres couteaux d'ailleurs. Le premier couteau de table à bout arrondi serait apparu en France vers 1630.

Pas n'importe où. À la table du cardinal de Richelieu, alias Armand du Plessis, ministre du roi Louis XIII. Politicien habile, Richelieu ne se préoccupait pas seulement des finances de l'État, mais aussi de bonnes manières et de protocole.

Un beau jour, il décida de mettre fin à une pratique aussi populaire que barbare : se curer les dents en fin de repas avec la pointe de son couteau. Les manuels de savoir-vivre le déploraient depuis plus de deux siècles, mais rien n'y faisait.

Plutôt que d'interdire cette pratique à sa table, Richelieu demanda à son maître d'hôtel d'arrondir à la lime la pointe de ses couteaux.

Par amour des bonnes mœurs, autant que par déférente imitation du ministre tout-puissant, de nombreux gentilshommes adoptèrent chez eux cette pratique. Les plus zélés commandèrent directement des couteaux arrondis à leur fournisseur. L'usage de couteaux aux pointes émoussées se répandit ainsi depuis la fin du XVIIe siècle.

Pas de quoi sortir son Opinel.

Jusqu'à preuve du contraire…

Pourquoi les *skins* ont-ils les cheveux rasés ?

Vous avez déjà croisé des *skins* dans la rue. Et surtout dans les matches de foot. Ce sont ces jeunes excités qui vocifèrent en bande dans les tribunes populaires, le crâne entièrement rasé. Le phénomène des *hooligans* leur doit beaucoup.

« skin » est l'abréviation du mot anglais « *skinhead* », qu'on pourrait traduire par « tête lisse ». Ce ne sont ni des militaires, ni des nageurs olympiques. Alors pourquoi se sont-ils rasé le crâne ?

La mode *skin* est née en Angleterre au début des années 1960, dans les banlieues déshéritées de Londres. Ce qui ne fait qu'ajouter à la confusion. Quoi de plus élégant en effet qu'une bande de jeunes Anglais de cette époque ? Qu'on songe aux Mods, aux Teddys, ou aux Quatre de Liverpool…

La tradition s'est perdue. Au commencement, les *mods* anglais roulent en scooter et écoutent de la *soul music*. Les rockers font le contraire : ils roulent en moto et n'écoutent pas de musique noire. C'est pour ça qu'ils se sont battus trois ans de suite sur les plages anglaises. À quoi ressemble le *mod* ? Coupe à la française, chaussures à l'italienne, un parka sur le dos et des amphétamines dans le bec – voici le *mod* du début. La sophistication continentale à la portée du jeune ouvrier anglais.

Les futurs *skinheads* prolongeront ce fétichisme du vêtement « qui classe ». À la fin des années 1960, ils porteront le digne manteau bleu, la chemise blanche à col ouvert, et le godillot ciré. C'est l'arrivée du psychédélisme, et la conversion de la fraction écolière et petite bourgeoise des *mods* au rock, qui vont entraîner les *mods* de banlieue à marquer leur différence. Ils posent à l'anglais 100 % *roast-beef* (les autres partent au soleil d'Ibiza), en cognant tout ce qu'ils trouvent (bagarreurs d'hier, les autres crient maintenant « *peace and love* » !), et en se coupant les cheveux (les autres les laissent pousser).

Leur trilogie : bagarre, bière et football. Ils se retrouvent dans les stades pour picoler, suivre un peu la rencontre, puis tranquillement exploser la gueule des supporters de l'équipe adverse, ou même de leur propre équipe – suivant le nombre de bières ingurgitées.

À tel point que le gros du public prend peur ; on n'ose plus venir aux matches.

Alors la police décide de frapper fort. Elle lâche à l'entrée des stades des agents montés à cheval. Et qui, pour neutraliser les *skins*, les attrapent par la tignasse. C'est pourquoi ils se sont définitivement tondu les cheveux.

Courageusement.

Jusqu'à preuve du contraire…

Pourquoi les vélos de femme n'ont-ils pas de barre au milieu ?

Que vous ayez l'esprit mal ou très mal tourné, vous l'avez remarqué : le vélo d'homme a une barre au milieu. Plus précisément, le cadre d'une bicyclette pour mâle présente sa barre supérieure parallèle au sol. Sur un vélo de femme au contraire, la barre du dessus rencontre le tube de la fourche beaucoup plus bas, seulement quelques centimètres au-dessus du pédalier.

C'est valable en plaine comme en montagne : les *mountain-bikes* de femmes n'ont pas de barre horizontale, contrairement à la version masculine. Résultat : ça fait moins « montagnard », ça fait… montagnarde.

Pourquoi pas de barre ? Parce que les femmes sont plus petites que les hommes ? Certainement pas. Les différences de taille entre les sexes – si je puis me permettre – ne sont pas suffisantes pour justifier cet ostracisme. Car dans ce cas, les coureurs de poche comme Chiappuchi chevaucheraient eux aussi un vélo de femme dans les courses cyclistes.

La véritable explication est que les créateurs du vélo furent de galants hommes. Qui n'ont jamais perdu de vue la pudeur ni la dignité du sexe faible.

La bicyclette sous sa forme actuelle a été inventée en 1880. C'est l'Anglais Starley qui eut l'idée de la roue arrière motrice grâce à une chaîne. En cette fin de XIXe siècle, les femmes ressemblaient encore à des femmes. Autant dire qu'elles portaient des jupes et des robes.

Et les pères de la petite reine n'ont pas voulu que leurs épouses dévoilent jupons, jarretières et culotte en soulevant la jambe pour la passer par-dessus la barre.

Il y avait tant d'autres occasions pour cela.

Jusqu'à preuve du contraire…

Pourquoi les poules traversent-elles toujours devant les voitures ?

Vous l'avez remarqué au volant. Vous roulez en voiture, sur des départementales de campagne, au milieu des champs et des coquelicots. Chemin faisant, vous approchez d'une ferme. La cour donne sur la route. Il y a là un chien qui aboie, quelques chats assoupis, un couple de dindons, et des poules. Des ribambelles de poules.

Et soudain, à l'instant même où vous arrivez à leur hauteur, une ou deux poules traversent la route, juste devant vos roues. Vous vous souvenez ? En tout cas vos freins s'en souviennent. Question : pourquoi les poules traversent-elles toujours devant les voitures ?

Pour une raison tellement évidente qu'on l'oublie : si les poules traversaient derrière votre voiture (c'est-à-dire après votre passage), vous ne les verriez pas. Vous en déduisez donc qu'elles traversent toujours devant vous.

Mais le brave fermier, qui reste assis toute la journée devant sa porte sur une chaise tressée, il peut vous assurer que ses poules traversent n'importe quand, avant et après les voitures, toute la journée. Tout n'est qu'une question de point de vue. (À la montagne, ce sont surtout les moutons…)

Jusqu'à preuve du contraire…

Pourquoi les Belges ont-ils inventé la frite ?

Comment imaginer un bon steack-frites sans frites ? C'est tout bonnement impensable. (Alors qu'on peut très bien imaginer un poulet-frites sans steak ; pour vous dire à quel point les frites sont indispensables à la gastronomie.)

Comment imaginer un trottoir belge sans frites ? C'est tout bonnement impensable. La frite est au Belge ce que le Belge est à la frite : une part de son patrimoine.

Techniquement, la frite s'obtient d'une pomme de terre, épluchée, coupée en lamelles parallélépipédiques, et plongée dans l'huile bouillante. Pourquoi les Belges ont-ils élaboré un mode de cuisson si complexe – et si riche en lipides – plutôt que de la faire cuire à l'eau, sur la braise, ou poêlée en tranches ? Et d'abord : pourquoi les Belges ? pourquoi pas les Français, nous autres dépositaires planétaires de l'art culinaire, à tel point qu'en anglais « frites » se dit « *french fries* » ?

À cause de notre lenteur. Contrairement à une idée reçue, ce n'est pas le Français Parmentier qui a répandu l'usage de la pomme de terre en Europe. L'homme au hachis du même nom ne l'a fait que dans notre pays, et seulement à partir de 1773. Or, la pomme de terre, rapportée d'Amérique par les Conquistadores, est dégustée dès le début du XVIIᵉ siècle de l'Espagne à la Prusse, en passant par… les provinces belges. En Belgique, la culture de la pomme de terre se répand à partir de 1680 ; tant et si bien que quelques années plus tard, la province du Hainaut en exporte vers l'Angleterre. Bref : comme Eddy Merckx dans le Tourmalet, les Belges sont en avance. Le décor est planté. L'Histoire est en marche.

Tout va alors se jouer à Namur, sur les bords de la Meuse. À cette époque, les Namurois cultivent, en plus du tubercule, une tradition charmante : la fête à la friture. Ils pêchent dans la Meuse chaque année à la même période de petits poissons qu'ils font ensuite frire à l'huile. Toute la ville se réunit alors pour déguster la friture.

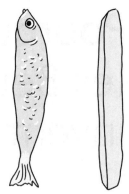

Or, une année (on ne sait plus laquelle exactement), survient un inconvénient majeur : la rivière est gelée. Une vraie banquise. Impossible de pêcher. Pas de fête à la friture.

Qu'à cela ne tienne ! Les Namurois ne s'avouent pas vaincus pour autant. Ils découpent des pommes de terre en petits bâtonnets, de la forme et à la taille des poissons, puis les font frire. Inutile d'en rajouter, vous avez compris : la frite était née.

La première trace écrite de la légendaire recette remonte à 1781. La dernière trace remonte à hier soir, sur le tablier de Walter Waterzoï, agent de nettoyage chez Burger-Magic à Bruxelles.

Jusqu'à preuve du contraire…

Pourquoi
l'ordre des touches sur les machines à écrire est-il *AZERTYUIOP* ?

Vous l'avez tous remarqué. L'ordre de la première rangée de touches sur une machine à écrire (ou sur un ordinateur, ou sur votre Minitel) est le suivant : *AZERTYUIOP*.

C'est idiot ! Il n'existe pas de mot dans lequel le *Z* suit le *A*, le *R* précède le *T*, et où le *Y* et le *I* entourent le *U*. Et ainsi de suite…

Alors pourquoi a-t-on délibérément choisi un mode de fonctionnement aussi incongru au lieu d'un système simple pour frapper vite ?

Justement, parce qu'on ne voulait pas aller trop vite.

Lorsque l'Américain Christopher Latham Sholes, imprimeur de son métier, inventa la machine à écrire en 1868, la mécanique connaissait quelques ratés. Dès les premiers essais, les doigts des secrétaires couraient trop rapidement sur les touches. La machine se coinçait et ne parvenait pas à enchaîner lettre sur lettre.

Sholes consulta alors son frère, professeur de son état, qui trouva la parade.

Pour masquer les défauts de l'appareil, il fallait d'abord éloigner les lettres fréquemment utilisées en combinaison. Par exemple, sur les claviers français, le *Q* et le *U*. Ensuite, ils placèrent les lettres les plus utilisées sous l'emplacement des doigts les moins agiles (par exemple, le *A* se déclenche au moyen du petit doigt, alors que le *G*, plus rare, est la proie du vaillant index).

De la même façon, les lettres les plus utilisées, comme le *E*, le *S*, le *R* ou le *T*, sont toutes destinées à être frappées avec les doigts de la main gauche. La main gauche justement, qui porte bien son nom (chez les droitiers en tout cas).

Résultat : aux États-Unis, l'ordre des touches choisi fut *QWERTY*, en France *AZERTY*. La production en série de machines à écrire démarra en 1874, quand Sholes eût vendu son prototype à Remington.

De nos jours, les machines pourraient suivre des cadences de frappe dix à mille fois plus rapides. Mais pas les doigts experts des secrétaires. Alors rien n'a changé.

Jusqu'à preuve du contraire…

Pourquoi dit-on de Paris qu'elle est la « ville-lumière » ?

Les amoureux l'ont remarqué ; autant dire que l'Humanité entière l'a remarqué : Paris est la « ville-lumière », la cité idéale où la passion brille de mille feux et ne s'éteint jamais.

D'où vient la formidable et lumineuse réputation de notre capitale ? Il faut remonter loin. L'expression date du XVIIe siècle. À l'époque, les étrangers de passage à Paris étaient fascinés de voir qu'à n'importe quelle heure du jour et surtout de la nuit, les boulevards comme les ruelles restaient éclairés. Les poètes se pâmaient. Les amants en redemandaient.

Croyez-vous que c'était pour le folklore ? Pour laisser admirer les jolies dames ?

Hélas non. Ces années-là, Paris aurait pu prétendre au titre mondial de capitale du crime. À tel point qu'en 1524 et 1558, deux arrêtés du Parlement obligèrent les bourgeois à installer une chandelle à leur fenêtre. Lisez plutôt : « Les vols, meurtres et accidents qui arrivent journellement en nostre bonne ville de Paris, faute de clarté suffisante dans les rues, et d'ailleurs la plupart des bourgeois et gens

d'affaires n'ayant pas les moyens d'entretenir des valets pour se faire éclairer la nuit, n'osant pour lors se hazarder [*sic*] d'aller et venir par les rues [...], il serait nécessaire d'établir des porte-lanternes et porte-flambeaux pour conduire et éclairer ceux qui voudront aller et venir par les rues. »

Malheureusement, l'effet de cette directive fut insuffisant, et les « mauvais garçons » continuèrent à mettre la cité à feu et à sang. C'est avec l'arrivée de La Reynie au poste de lieutenant général de police (1680) que le règlement devint plus rigoureux.

Il imposa qu'on éclaire toutes les rues, toutes les impasses, la moindre ruelle.

Madame de Sévigné put écrire à son amie : « Nous trouvâmes plaisant d'aller ramener Madame Scarron, à minuit, au fin fond du faubourg Saint-Germain fort au-delà de Madame Lafayette, quasi auprès de Vaugirard dans la campagne... Nous revînmes gaiement à la faveur des lanternes dans la sûreté des voleurs. »

La réputation de Paris, ville-lumière, était faite.

Jusqu'à preuve du contraire...

Pourquoi
les shar-pei ont-ils
la peau plissée ?

Vous connaissez certainement le chien shar-pei. La publicité en fait une intense consommation, avec sa bonne bouille de gros nounours, toute ratatinée. C'est ce chien qui a la peau tellement boursouflée de jolis plis de velours qu'on jurerait que son corps a rétréci au lavage.

Le shar-pei est un chien chinois dont on situe l'origine sur la côte sud du pays, et dans la province du Kuang Tung (je précise pour les voyageurs et les vétérinaires). Des statuettes le représentaient déjà dans des sites d'avant notre ère, il y a plus de deux mille ans.

D'abord affectés à la garde des temples, les plus vaillants spécimens furent ensuite dressés à tuer le tigre et le sanglier.

Mais surtout, il semble que le shar-pei était recherché et sélectionné par les éleveurs chinois pour ses aptitudes au combat de chiens. C'est en tout cas l'hypothèse la plus probable.

Pourquoi lui et pas une autre race ?

Même pas mal…

Grâce à ses plis, qui l'avantageaient. Eh oui ! Car son adversaire n'avait que de la peau à se mettre sous les crocs. Quand le shar-peï se faisait mordre, ses organes vitaux étaient plus difficilement atteints. Donc mieux préservés. D'autre part, sa peau lâche permettait au combattant de se retourner pour entamer à son tour l'adversaire qui l'avait saisi. Les éleveurs ont donc croisé entre eux les spécimens les plus fournis en « peau superflue ».

Finalement, le shar-peï a presque disparu de Chine. Pas à cause des morsures. Mais du Grand Bond en Avant. Mao considérait le chien comme une bouche inutile. À partir de 1947, le gouvernement révolutionnaire l'a taxé comme un vulgaire animal de luxe.

Une vie de chien !

Jusqu'à preuve du contraire…

Pourquoi
les miroirs inversent-ils les côtés, mais pas le haut et le bas ?

Nous sommes tous restés perplexes un beau matin devant notre image en nous habillant ou en nous coiffant.

Monsieur, si vous portez la raie à droite, dans la glace, vous l'avez vue à gauche. De la même façon, Madame, votre montre, délicatement attachée à votre poignet gauche, se reflète du côté droit. Mademoiselle, troublante Narcisse, depuis le temps que vous vous admirez à demi-nue, vous l'avez constaté : les miroirs inversent la droite et la gauche. Mais alors : comment se fait-il que votre tête reste en haut, et vos pieds en bas ?

Vous pouvez essayer de tourner votre miroir de 90 degrés (autrement dit d'un quart de tour), l'effet sera le même. Rien à voir donc avec la structure interne du verre. Alors quoi ?

L'explication est toute simple : c'est que les glaces réfléchissantes, contrairement aux apparences, n'inversent pas les côtés.

Reprenons l'exemple de la montre. Supposons que lorsque vous regardez dans votre glace, la commode avec le vase se trouve à votre gauche, et l'étagère à votre droite. Votre montre, accrochée au poignet gauche, sera du côté de la commode. Eh bien son reflet aussi !

Et ce grain de beauté qui embellit votre joue droite, il restera toujours du côté de l'étagère : dans la pièce, comme dans le miroir.

Même motif, même punition : votre tête qui se tient en hauteur (du moins je vous le souhaite) voisine avec le plafond, et vos pieds – en bas – avec le plancher. Dans la glace et dans la réalité.

En fait, c'est ce que nous appelons « droite » et « gauche » qui varie suivant notre orientation.

Les marins connaissent bien ce problème. Sur un navire, bâbord est à gauche, mais seulement si on est tourné dans le sens de la marche. Si l'on fait demi-tour pour regarder vers l'arrière du bateau, c'est tribord qui se trouve sur la gauche.

Et en politique ? C'est trop compliqué.

Jusqu'à preuve du contraire…

Pourquoi
les aiguilles
d'une montre
tournent-elles dans
le sens des aiguilles
d'une montre ?

Vous l'avez tous remarqué. Si vous ne l'avez pas remarqué : regardez votre montre : il ne doit pas être loin de la demie. Et dans quelques secondes, la trotteuse aura bougé. Dans quel sens ? Dans le sens des aiguilles d'une montre, justement ! Impossible de se tromper.

Mais pourquoi dans ce sens-là ?

Parce que la toute première horloge est apparue à la cour de France au XIIᵉ siècle. En France : c'est-à-dire dans l'hémisphère nord. Vous vous dites « et alors » ?

Et alors, avant l'invention de l'horloge (puis de la montre), les hommes utilisaient des cadrans solaires.

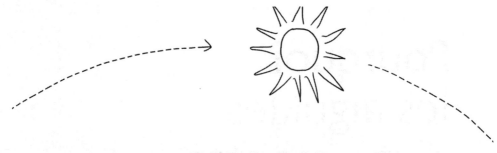

Et dans quel sens tourne l'ombre sur un cadran solaire ?

Dans le sens des aiguilles d'une montre…

Si l'horloge avait été inventée dans l'hémisphère sud, cela aurait été l'inverse. Les aiguilles de la montre auraient tourné dans le sens contraire des aiguilles d'une montre.

Jusqu'à preuve du contraire…

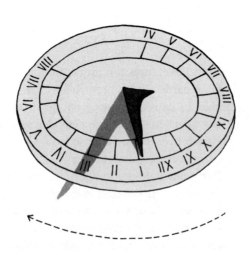

Pourquoi
certains personnages de bande dessinée n'ont-ils que quatre doigts à chaque main ?

Vous avez remarqué la main de Bugs Bunny ? Et celle de Donald ? Ou celle de Pif le Chien (un Français, pourtant) ?

Presque toutes les mains des personnages de bandes dessinées et de dessins animés n'ont que quatre doigts. En tout cas chez les comiques. On les reconnaît à ça. Exactement comme David Vincent démasquait *Les Envahisseurs*, mais en sens inverse.

Bref : pourquoi l'oncle Picsou compte-t-il ses lingots sur seulement huit doigts ? Comique ou pas, je ne vois pas ce qu'il y a de drôle dans cette amputation.

Comme il vaut mieux s'adresser au Bon Dieu qu'à ses saints, la réponse nous arrive des Studios Walt Disney…

Parce que c'est plus facile à dessiner ! C'est tout bête, mais c'est comme ça.

Pour autant, personne ne sait quel doigt a été supprimé par les dessinateurs. Les experts penchent pour l'auriculaire, puisqu'à part le pouce, les trois doigts qui restent ont la même taille.

Ils sont galants, chez Disney. Car seules quelques privilégiées peuvent profiter de leurs dix doigts : Blanche-Neige et Cendrillon. Les jolies femmes savent toujours quoi faire d'un doigt en trop.

Jusqu'à preuve du contraire…

Pourquoi
est-il distingué de manger le petit doigt en l'air ?

Vous l'avez remarqué en allant souper chez Madame la Duchesse du Bout du Manche de La Brosse. Ou en contemplant les photos du dîner dans *Point de vue-Images du monde*. Rien ne se révèle plus précieux et délicat que de manger le petit doigt en l'air. Cette subtile crispation des phalanges confère indéniablement une posture de personne bien élevée, à condition toutefois de ne pas se moucher ensuite dans la nappe.

Démystifions l'affaire. Le petit doigt en l'air, c'est bien joli, mais c'est pas pratique. Alors pourquoi cette étrange politesse ?

La coutume remonte au Moyen Âge. En cette époque fruste, même le plus maniéré des princes, en comparaison de notre savoir-vivre actuel, se gavait la panse avec l'élégance du porc d'élevage.

À table ! Sans jamais se laver les mains, les seigneurs féodaux se servaient directement dans un plat unique, que l'on faisait passer. Ils mangeaient avec les doigts sans vergogne. Ils se curaient les dents à l'aide d'une arête ou d'un os de poulet. Et les convives buvaient tous dans le même gobelet.

Ils gardaient cependant toujours un ou deux doigts levés afin de les laisser libres de graisse. Dans quel but ? Qu'ils restent secs avant de se servir en condiments et en assaisonnements. Si ! Essayez donc de saupoudrer une pincée de sel les doigts badigeonnés de miel et de sauce à la crème.

Ainsi naquit l'usage du petit doigt levé comme signe de distinction, qui fut plus tard adapté à l'utilisation de la cuillère et de la fourchette.

Jusqu'à preuve du contraire…

Pourquoi
les hirondelles
volent-elles bas
quand il va
pleuvoir ?

Vous l'avez remarqué à la campagne. Le ciel est gris et triste, l'ambiance maussade. En général, c'est l'automne (d'où l'expression « une hirondelle ne fait pas le printemps »). Les hirondelles volent bas. Sinistre présage. Deux heures plus tard, il pleut. Mais comment font-elles pour savoir qu'il va pleuvoir ?

En fait, elles n'en savent rien.

Sauf qu'avant l'averse, l'air se charge d'humidité. La pression atmosphérique varie.

Ce qui oblige les petits insectes à voler plus bas. Ils ont, pour ainsi dire, du mal à décoller. Comme si l'eau se condensait sur leurs ailes.

Or les hirondelles se nourrissent de ces insectes. Donc elles les suivent pour les becqueter. De plus en plus bas, elles les gobent au vol. À table !

Et quand il pleut vraiment ? Elles restent au sec, les hirondelles. Comme vous et moi.

Jusqu'à preuve du contraire…

Pourquoi n'entendons-nous pas notre cœur battre ?

Vous avez tous fait cette expérience : vous êtes avec la personne que vous aimez, l'élu de votre cœur justement. Vous posez votre oreille sur sa poitrine, et vous entendez : TOUMB-TOUMB, TOUMB-TOUMB, son cœur qui bat.

Ce qui prouve à quel degré l'ouïe humaine est sensible. Elle est capable de percevoir les déplacements du sang dans les artères. Or justement, notre crâne est entièrement entouré de vaisseaux sanguins, qui battent au gré des pulsations cardiaques. Il y en a des dizaines qui transitent à quelques millimètres de l'oreille. Alors pourquoi ne les entendons-nous pas ?

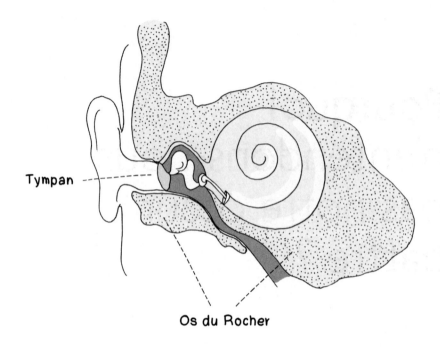

Tympan

Os du Rocher

À cause du rocher. C'est un os (ou plutôt une partie osseuse) relié au crâne. Il entoure l'oreille, et il agit comme un isolant acoustique. Si le rocher n'existait pas, il nous serait impossible d'écouter tous les frémissements du monde extérieur. Le vacarme intérieur de notre organisme serait – si j'ose dire – assourdissant. Un peu ce qui se passe quand on baille, et que la trompe d'Eustache s'ouvre. C'est pourquoi vous avez remarqué que la perception sonore change à cet instant.

Jusqu'à preuve du contraire…

Pourquoi
les chats
peuvent-ils dormir
en plein soleil ?

Nous les avons tous enviés un jour, ces gros matous étirés au soleil, les yeux clos, qui dorment à pattes fermées, placides et bienheureux… C'est d'ailleurs pour cette raison que les tigres, les panthères, les lions, et même les persans d'appartement ont été baptisés des « félins ». Du latin *felix*, qui signifie « heureux ».

Il y a de quoi être jaloux. Les humains les mieux entraînés au *farniente* n'y arrivent pas. Même le Mexicain des bandes dessinées de *Lucky Luke* réclame son indispensable sombrero géant pour pouvoir s'assoupir sur les rails du chemin de fer.

Alors comment font les chats pour s'endormir en pleine lumière ? Tout simplement, en fermant leurs paupières.

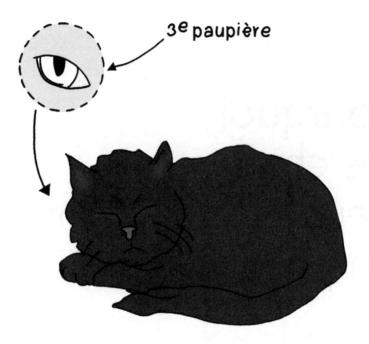

3e paupière

Parce que sous leurs paupières, celles que vous voyez fermées, les chats disposent d'une deuxième paire de paupières. Des paupières qui ne se ferment pas comme les autres, de haut en bas, selon un trait horizontal, mais au contraire comme un rideau de théâtre, avec des bords à la verticale. Cette fois, plus aucun rayon lumineux ne passe.

Deux paires de paupières, la tête au sud, en plein été, c'est certainement le secret du bonheur.

Jusqu'à preuve du contraire…

Pourquoi les hockeyeurs se tapent-ils toujours dessus ?

Le hockey sur glace est l'un des sports les plus rapides, et les plus violents aussi. Les gars passent leur temps à patiner, à courir après le palet, à frapper dedans mais aussi à se frapper dessus. Ils se donnent des coups d'épaules, s'envoient valdinguer contre les parois du terrain… Au Canada et aux États-Unis, il se vend même des DVD uniquement composés de bagarres entre joueurs.

Comment expliquer que les hockeyeurs se tapent toujours sur la gueule ?

Parce qu'ils ont un casque, par conséquent ce serait sans danger ? Certes. Mais le casque sert avant tout à les protéger du palet, des chutes, et des coups de crosses plus ou moins involontaires.

Sauf que dans les bagarres, il arrive souvent qu'un joueur perde son casque, et le pugilat ne cesse pas pour autant.

Allez, un indice : les hockeyeurs sur gazon n'ont pas du tout les mêmes habitudes belliqueuses…

Il y a une autre explication : c'est que sur la patinoire, les hockeyeurs ne se font pas mal. Question de physique élémentaire. Vous savez que toute action nécessite une réaction. Quand une voiture percute un platane, le choc affecte autant l'arbre que la voiture (et je ne parle pas d'un pilier du pont de l'Alma).

Quand un boxeur frappe un direct au visage, la tête reçoit la même quantité d'énergie que le poing subit (d'où les gants de boxe, pour protéger autant le visage que les mains).

Or au hockey, les coups portent beaucoup moins. Parce qu'une partie du choc est absorbé… par la glace. Les hockeyeurs sont sur des patins, qui glissent – c'est d'ailleurs leur raison d'être. À chaque impact, une partie de l'énergie les propulse un peu plus loin, un peu à la manière du recul d'un canon. Les coups font donc moins mal. Voila pourquoi ces gaillards peuvent se bastonner consciencieusement pendant deux ou trois minutes. Parfois même l'arbitre en prend une en voulant les séparer. La même mandale au rugby, il quitterait le terrain sur une civière !

Jusqu'à preuve du contraire…

Pourquoi croit-on que passer sous une échelle porte malheur ?

Je vous entends d'ici : vous allez arguer que nos aïeux, à force de se ramasser des trucs sur la tête, ont décrété que ça portait malheur de passer sous une échelle.

N'en déplaise à votre intuition, la véritable cause de cette superstition n'a aucun rapport avec cette explication terre à terre. Et il nous faut cette fois remonter jusqu'aux épisodes bibliques, il y a plus de 2 000 ans.

Quand le Christ a été crucifié, une échelle avait été disposée contre la croix. Rien d'extraordinaire à ce qu'aussitôt, les disciples de Jésus associent l'idée de l'échelle à celle de la mort, de la trahison, et de la cruauté. Autant dire du malheur.

Mais l'histoire ne s'arrête pas là. Au XVIIe siècle, en France et en Angleterre, la loi obligeait les condamnés à mort à passer sous une échelle, alors que le bourreau, lui, la contournait. Plus question de croyances : passer sous une échelle revenait effectivement à courir à sa perte.

Conseil d'ami : ne soyez pas superstitieux, ça porte malheur.

Jusqu'à preuve du contraire…

29

Pourquoi y a-t-il des dessins sur la tranche des pièces de monnaie ?

Prenez une pièce de deux euros. Vous observerez que la tranche est constellée de petits créneaux, comme un engrenage miniature incrusté d'étoiles. Si vous êtes un peu juste en fin de mois, rabattez-vous sur la pièce d'un euro : les créneaux sont encore là, mais se succèdent de façon discontinue. L'ancienne pièce de dix francs, elle, s'était faite poinçonner dans la largeur la devise de la République : liberté-égalité-fraternité.

Il en va ainsi pour la plupart des pièces, et pas seulement en France. On leur grave régulièrement quelque chose sur la tranche. Pourquoi ?

C'est une tradition. Et comme la plupart des traditions, elle ne doit rien à l'arbitraire.

Sous l'Ancien Régime, alors que les pièces étaient en or, des petits malins avaient trouvé une combine infaillible pour arrondir leurs fins de mois. Ils limaient le bord des pièces pour récupérer de la poudre d'or. Ensuite, ils remettaient la pièce en circulation. Ni vu ni connu. On les appela « les rogneurs » (le mot apparaît dans les dictionnaires en 1690).

Alors, pour limiter l'activité de ces rogneurs, on a inscrit une devise sur la tranche des pièces. Si on ne pouvait plus la lire, la pièce ne valait plus rien.

Bonne lecture.

Jusqu'à preuve du contraire…

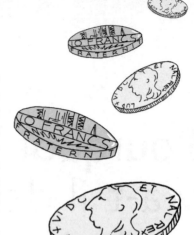

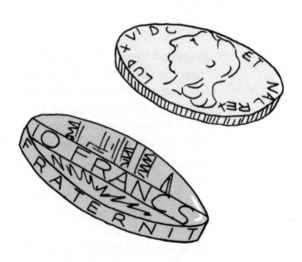

30

Pourquoi
le cobra
danse-t-il devant
le charmeur
de serpents ?

On a tous frissonné devant ce numéro. Le vieil Indien, en turban, accroupi devant un cobra. La piqûre du reptile est mortelle, il n'est qu'à vingt centimètres de lui, et il ne l'attaque même pas. Il danse. On se demande bien quel air du hit-parade peut le charmer.

Réponse : n'importe lequel. Car en fait, le serpent est sourd. Ce n'est pas à la musique qu'il réagit, mais aux vibrations émises à partir du sol.

Or justement, pendant qu'il joue, le charmeur tape du pied. Le cobra perçoit du danger ; il se dresse pour se mettre en position de surveillance.

Les mouvements – très lents – de la flûte lui font croire qu'il a un ennemi face à lui. Le serpent ne danse pas : il ondule avec le charmeur pour contrôler la situation.

Tout l'art du charmeur de serpents consiste à se situer à la bonne distance pour maintenir la bête dans cette position de surveillance. S'il est trop près, le serpent passera à l'attaque. S'il est trop loin, il ne le contrôlera plus ; le serpent s'intéressera à autre chose, ou s'enroulera pour se reposer.

Comble de sadisme, le flûtiste joue suffisamment près de lui pour que l'air dégagé par l'instrument souffle sur son dos, ce qui agace prodigieusement le reptile. Qui reste en alerte plus longtemps. Avantage : les touristes glisseront encore plus de pièces dans le panier d'osier.

Si vous devez voyager en Inde, emportez dans vos bagages du sérum anti-venin. C'est pas du pipeau.

Jusqu'à preuve du contraire…

31

Pourquoi
le papier A4
mesure-t-il
21 x 29,7 cm ?

Vous vous êtes déjà posé la question en rêvassant devant l'imprimante. Pourquoi ces dimensions biscornues, 21 sur 29,7 cm ? Pourquoi pas un truc simple, genre 20 x 30 ?

Et accessoirement : pourquoi le format A3 est-il plus grand que le A4 ? C'est aberrant : l'Audi A8 est plus grosse que l'A4, le Boeing 747 surpasse le 707, et le 95C surclasse le 85B ! Qu'est-ce que c'est que cette embrouille ?

Le principe du format de papier de la gamme A, c'est le pliage. En partant de la plus grande feuille, on obtient les autres en pliant en deux le côté le plus grand. C'est ainsi que le rapport entre la hauteur et la largeur est toujours le même :

hauteur = largeur x $\sqrt{2}$.

Le point de départ de la gamme est une feuille d'un mètre carré. Tout simplement.

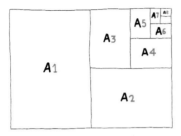

Ce qui nous donne un format de 84,1 cm x 118,9 cm. Pliée en deux, on a donc deux feuilles de 59,4 x 84,1 cm. Et ainsi de suite. Le chiffre placé après le A indique le nombre de pliages à partir du format de départ, appelé par convention « A0 ».

Le A3 a un pliage de moins que le A4 : c'est donc un format plus grand. Un bon point de départ pour draguer à la photocopieuse.

Jusqu'à preuve du contraire…

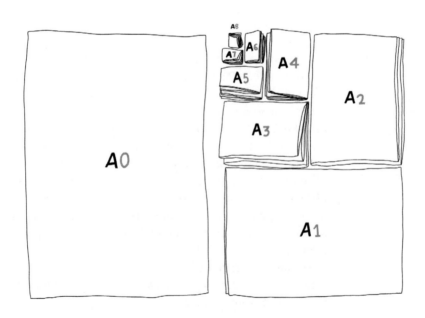

32

Pourquoi
chez les Musulmans, hommes et femmes ne prient-ils pas ensemble ?

Vous avez tous vu cette image, à la mosquée, ou dans un reportage télé. Les Musulmans prient en s'agenouillant dans la direction de La Mecque. Les Musulmanes aussi. De la même façon, et dans la même direction.

Pourtant, alors que les bancs des églises sont mixtes, chez les Musulmans, les hommes et les femmes ne prient pas ensemble. Pourquoi ?

La séparation a été dictée par le prophète Mahomet dans le Coran. Selon son enseignement, la prière est exclusivement tournée vers Dieu. Rien ne doit tourmenter les fidèles.

La présence de femmes parmi les hommes, ou d'hommes parmi les femmes, risquerait de disperser leurs pensées.

D'autre part, il ne faut pas perdre de vue que la prière se fait à genoux. Supposons qu'elle soit mixte, et qu'un homme se trouve juste derrière une charmante jeune femme. Lorsqu'ils vont s'agenouiller, il aura face à son regard non seulement La Mecque, mais aussi et surtout le postérieur de sa voisine. Ses fesses, quoi…

Comment voulez-vous ne penser qu'à Dieu dans ces conditions ?

Comme aimait à le répéter Alexandre Vialatte : « Et c'est ainsi qu'Allah est grand… »

Jusqu'à preuve du contraire…

33

Pourquoi
les vêtements des hommes ne se boutonnent-ils pas comme ceux des femmes ?

Tous les esthètes le savent, toutes les *fashionistas*, et aussi celles et ceux qui ont l'habitude d'emprunter les vêtements de leur conjoint(e) : le sens du boutonnage des chemises n'est pas le même suivant les sexes.

Sur les chemises de garçons, les boutons sont cousus sur le pan de gauche, et le pan de droite vient s'y poser ; sur les chemisiers de filles, c'est l'inverse.

Pour quelle raison ? Par snobisme ? Par sexisme ? Parce que les couturiers et les stylistes sont des personnes inconstantes ? Pour vendre deux fois plus de chemises ? Pour qu'une maman ne puisse pas passer les vêtements du petit frère à la petite sœur et *vice versa* ?

Rien de tout cela.

Ce sont les activités principales des hommes et des femmes qui expliquent cela. Un peu d'histoire : remontons quelques siècles en arrière, quand le T-shirt n'avait pas été inventé.

Les hommes, guerriers invétérés, tiennent leur épée de la main droite. Ils doivent pouvoir ouvrir leur veste de la main gauche pour dégager leur arme et la saisir de leur main la plus habile.

Les femmes, elles, tiennent leur bébé sur leur bras gauche. C'est donc leur main droite qui est libre pour dégrafer leur corsage (ou toute autre tâche demandant de l'habileté). L'autre explication au fait que les femmes tiennent leur bébé sur le bras gauche est qu'ainsi, la tête du nourrisson repose près du cœur de leur mère, dont les battements réguliers l'apaisent.

Jusqu'à preuve du contraire…

34

Pourquoi y a-t-il si peu de bistrots en banlieue, pourtant surpeuplée ?

Juste un chiffre pour commencer. Alors que certains villages de 500 habitants peuvent s'enorgueillir et profiter de huit ou dix bistrots différents, on ne relève à Rosny-sous-Bois qu'une moyenne d'un café pour 6 200 habitants. À la Queue-en-Brie, record de France : un café pour 9 200 habitants ! Vous imaginez 9 200 assoiffés sur le même zinc ? Impossible de se parler. Et même de boire.

Pourquoi ce handicap ?

L'implantation des cafés est régie en France par le code des débits de boissons. Avec un souci : prévenir l'ivresse publique. L'article L28 stipule que (je cite) « l'ouverture de tout nouvel établissement de quatrième catégorie est interdite en dehors des cas prévus par l'article L47 ».

Or, les cas prévus par la loi sont draconiens : il faut que la commune soit totalement privée de débits de boissons. Ou alors qu'il s'agisse d'une installation dans une nouvelle agglomération de plus de 450 000 habitants. Ou alors du rachat de la licence d'un endroit qui ferme, ceci avec des démarches administratives compliquées à l'extrême.

Problème : ces textes de loi remontent à 1959, bien avant l'explosion démographique des banlieues. Depuis cinquante ans, la population des villes de banlieue s'est multipliée par cinq ou par dix. Mais le nombre de cafés n'a plus bougé, sinon à la baisse.

Comme si cela ne suffisait pas, certains arrêtés communaux interdisent d'ouvrir un débit de boissons à moins de 500 ou 800 m d'écoles ou d'églises.

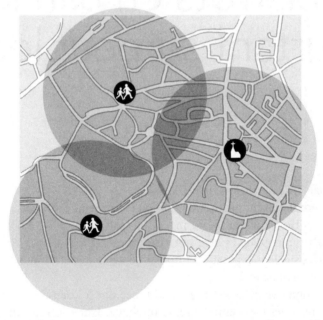

Sans remonter jusqu'à Jules Ferry, avouons que cette « distance de sécurité » se justifiait lorsque les immeubles plafonnaient à six ou sept étages. Avec l'avènement du béton, un millier de personnes peuvent désormais s'entasser dans la même tour, soit l'équivalent de plusieurs villages de campagne. Supposons qu'un collège se trouve au pied d'une des tours ; ses voisins n'auront jamais l'occasion de fêter le brevet du petit le coude sur le comptoir d'à côté.

Jusqu'à preuve du contraire…

35

Pourquoi les noms des voitures Peugeot ont-ils un zéro au milieu ?

Tout le monde sait reconnaître une voiture Peugeot rien qu'à son matricule, sans même citer la marque.

Si je vous dis XTZ 123, vous devinez que ce n'en est pas une. Si je choisis 404, 205, 605, là c'est une Peugeot ! Même la 909, un modèle qui pourtant n'existe pas encore…

Rien ne prédestinait Armand Peugeot, fondateur de la marque en 1832, à placer un zéro sur la barre des dizaines de chacune de ses appellations. L'industriel n'était ni fétichiste, ni numérologue. La 205 ou la 604 aurait pu tout aussi bien se dénommer la 25 ou la 64.

D'ailleurs, ses premiers modèles s'appelaient « 10 », « 12 » ou « 25 » : des nombres de deux chiffres. En 1910, le photographe Jacques-Henri Lartigue se réjouissait de rouler au volant de la puissante Peugeot 22.

L'année 1928 marque un tournant dans l'histoire de la firme de Sochaux. Avec la 201 (six chevaux) exposée au Salon de Paris, Peugeot inaugure les dénominations à trois chiffres. Dans sa roue suivent la 301 de huit chevaux, la 401 de dix chevaux, et la 601 de douze chevaux. Toutes avec un zéro au milieu ; pourquoi ?

Les responsables du style avaient placé le sigle de chaque voiture à l'avant du capot. Or, à cette époque, le démarreur électrique n'existait pas encore.

Il fallait bien mettre quelque part le trou pour la manivelle. Les ingénieurs ont alors fait d'une pierre deux coups. Le zéro serait percé !

La direction de Peugeot décida que ce serait là le signe distinctif de l'appellation de ses modèles. Elle déposa tous les numéros de trois chiffres comportant un zéro au milieu : de 101 à 909. Pour éviter que la concurrence n'imite l'astuce.

Précaution utile. En 1963, Porsche tenta en vain de lancer son nouveau coupé 901. Après d'âpres négociations, il fut rebaptisé 911.

Pas de quoi non plus s'appesantir 107 ans.

Jusqu'à preuve du contraire…

36

Pourquoi Mickey Mouse porte-t-il des gants ?

Vous l'avez remarqué en époussetant les trésors de votre bibliothèque : Mickey, Minnie et leurs amis Pluto et Dingo portent des gants. Nuit et jour. Été comme hiver.

Est-ce là l'expression d'une coquetterie ? Plutôt celle d'un dilemme.

Mickey Mouse apparaît en 1928 dans un dessin animé produit par les Studios Disney intitulé « *Plane Crazy* ». Deux ans plus tard, le rongeur le plus célèbre de l'univers atterrit en bande dessinée, dans un *strip* écrit par Walt Disney lui-même, et crayonné par le dessinateur Ub Iwerks. Mickey est alors une petite souris des champs, en culotte rouge maintenue par deux gros boutons jaunes.

Peu à peu, la chétive bestiole va se moderniser et investir la ville, pour vivre des aventures dans un cadre urbain, plus proche de son lectorat. Ses papas lui font rencontrer de nouveaux personnages : Minnie et Pluto en 1931, et en 1933 Goofy (rebaptisé Dingo en France).

Toujours en gants blancs. Pourquoi ?

Disney avait culotté Mickey par décence.

Il avait convenu sans peine de remplacer les pattes de sa souris par des bras, plus enrichissants vis-à-vis de la narration.

Cependant, il hésitait sur le sort des griffes. Maintenir le rongeur avec ses griffes d'origine lui conférait un caractère trop agressif. À l'inverse, une souris avec des ongles aux mains pouvait paraître suspecte. L'avisé Walt trancha ainsi : Mickey aurait des mains, mais gantées.

En revanche, quelques années plus tard, la « famille canard » se passera de gants. Entre 1934 et 1940, Donald, puis Daisy, Picsou et Gontran viennent au monde sans aucun problème de griffes ; puisque ces volatiles ont déjà des ailes. Le dessinateur Floyd Gottfredson leur a offert des mains pleines de doigts, avec de fines plumes au bout des phalanges. Observez-les bien : il y a souvent un peu de duvet qui dépasse.

Pour les mêmes raisons, Mickey cache ses pattes antérieures sous de grosses chaussures jaunes ; alors que Donald et sa famille ne portent rien en bas. Seul Onc'Picsou arbore d'élégantes guêtres blanches qui laissent toutefois apparaître ses pieds palmés.

Ne riez pas : c'est la même histoire avec le célèbre tableau de Géricault, *Le Radeau de la méduse*. Les naufragés sont en haillons mais portent des chaussettes, car Géricault n'arrivait pas à peindre les pieds !

Géricault, Disney : même combat.

Jusqu'à preuve du contraire…

37

Pourquoi
les panneaux de STOP sont-ils octogonaux ?

Permis à points ou pas, tout le monde sait à quoi ressemble un panneau STOP. Au lieu d'être rond, comme les limitations de vitesse ou les joyeuses interdictions de stationner, il est octogonal, c'est-à-dire tout en angles, avec huit côtés. Pourquoi cette exception ?

Un routier au long cours m'a déjà rétorqué que c'est parce que les autres pays avaient eux aussi des panneaux de STOP octogonaux. Exact, mais incomplet. Depuis la conférence de Vienne, nous autres Européens avons certes uniformisé notre code de la route avec celui de nos cousins d'outre-Atlantique : les États-Unis et le Canada. Mais alors deuxième question : pourquoi, eux, avaient-ils choisi cette forme géométrique ?

À cause de la neige, du givre, et du bon sens. Dans les contrées froides, la gelée empêche souvent de lire ce qui est écrit sur les panneaux. Sauf si le panneau présente une forme particulière, et unique. Car les conducteurs sauront ce qu'il signifie sans même avoir à déchiffrer ses inscriptions.

STOP !

L'explication s'arrête là.

Jusqu'à preuve du contraire…

38

Pourquoi
la fusée Ariane décolle-t-elle de Kourou ?

Vous le savez comme moi. Le pas de tir de la fusée européenne se situe à Kourou, en Guyane. Pourquoi là-bas, et pas ailleurs ?

Vous allez me dire : parce que la Guyane est française et qu'Ariane est européenne. D'accord, mais Londres et Munich aussi, c'est en Europe.

Deuxième explication : parce qu'à Kourou, le climat est doux. D'accord. Mais à Séville aussi il fait bon en février.

Parce qu'il y a peu d'habitations ? Certes. Mais dans le Larzac, vous croyez qu'on se marche sur les pieds ?

Bref ; pourquoi être allé aussi loin ? C'est pas la porte à côté, la Guyane, il faut bien compter huit mille kilomètres depuis Paris, sans compter la bretelle d'accès au périphérique. Eh bien, c'est paradoxalement en s'installant près de l'équateur qu'on fait des économies. Mais pas celles qu'on croit.

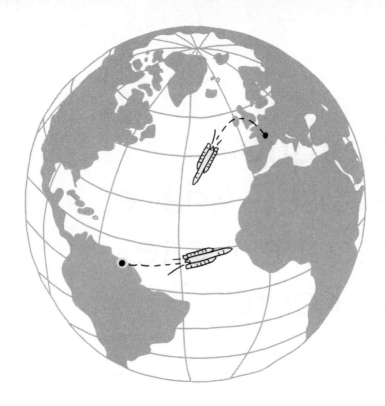

La plupart des satellites lancés de nos jours sont géostationnaires, c'est-à-dire qu'ils restent à la même place au-dessus de la terre, au-dessus de l'équateur exactement. Or, une base de lancement proche de l'équateur permet l'envoi direct de satellites situés quasiment dans le plan de l'équateur.

Kourou n'est à 5° de l'équateur, ce qui occasionne une diminution des performances de seulement 1 % d'énergie par rapport à la situation idéale. À titre de comparaison, Cap Canaveral, qui se trouve à 28° fait perdre 27 % de rendement aux Américains. Et la base russe de Baïkonour, située à 46°, leur coûte 55 % de déficit énergétique ; 55 % de pertes, c'est ce que nous aurions nous aussi subi si nous avions lancé Ariane depuis Aix-en-Provence par exemple. Profitons-en. On ne fait pas tous les jours mieux que les Russes et les Américains.

Jusqu'à preuve du contraire…

39

Pourquoi
la femelle du chat crie-t-elle pendant l'accouplement ?

Vous avez déjà vu un chat et une chatte sceller furieusement leur union l'un sur l'autre, après des jours de parade amoureuse.

À la différence des colombes et des tourtereaux qui roucoulent en cœur, il saute aux yeux que Madame La Chatte n'apprécie pas du tout la visite intime de Monsieur Le Chat. Elle grogne, elle crie, elle griffe, elle a hâte que ça se termine. Manifestement, elle souffre.

Comment cela se fait-il ? Ne me dites pas que les chattes ont des mœurs sadomaso…

Contrairement aux femmes qui peuvent être fécondées à intervalles réguliers tout au long de l'année, les chattes n'ovulent pas spontanément. Chez les matous, la femelle connaît une ovulation uniquement après s'être accouplée avec un mâle. (Cela prend entre 24 et 36 heures, mais ce retard n'est pas gênant dans la mesure où elles restent en chaleur pendant trois jours au moins.)

Or le déclic qui provoque l'ovulation est la douleur intense éprouvée au moment où le chat qui vient de l'honorer retire son pénis. Pourquoi cette douleur ?

Car l'organe sexuel du chat est hérissé de courtes épines pointues qui glissent facilement pour entrer, mais qui raclent les parois vaginales sur leur passage à la sortie.

Cet instant de violence donne le coup d'envoi pour que le système hormonal de reproduction entre en action chez la femelle.

Vivement ce soir qu'on se couche !

Jusqu'à preuve du contraire…

40

Pourquoi
les culottes de golf ont-elles une forme spéciale ?

Vous savez tous à quoi ressemble une culotte de golf : Tintin ne porte que ça. C'est une sorte de pantalon, généralement beige, fermé à la hauteur du mollet par un élastique qui le colle à la chaussette. Ce n'est pas spécialement élégant, alors pourquoi cette forme dite « bouffante » ?

Première remarque : le golf est un sport de plein air. Quand il pleut, les *greens* regorgent de gadoue. Donc si les pantalons remontent si haut près du genou, c'est simplement pour ne pas les salir en bas.

Va pour la hauteur. Mais pourquoi la toile du pantalon est-elle plaquée à la chaussette ? Cette deuxième explication est beaucoup plus perverse.

C'est que les golfeurs ne sont pas tous des *gentlemen*. Quelquefois, ils trichent. (Rappelez-vous : le méchant Goldfinger a fait le coup au gentil James Bond.)

Exemple de tricherie : après avoir tiré – et raté – son coup, le golfeur malhonnête marche vers l'endroit où il aurait aimé que sa balle se trouve. Comme tous les golfeurs, il a sur lui une ou plusieurs balles. À l'aide d'une poche préalablement trouée, rien de plus facile que de faire glisser une balle à l'intérieur de son pantalon, pour la retrouver ensuite à ses pieds dans l'herbe sans que personne ne remarque rien.

Avec une culotte bouffante, au contraire, pas de tricherie possible. La balle resterait coincée par l'élastique au niveau du mollet.

Il y a une justice.

Jusqu'à preuve du contraire…

Pourquoi
cogne-t-on les verres pour trinquer ?

Vous appréciez comme moi ce rituel cordial. On approche nos verres : « tching », ça fait un joli bruit, et hop ! on rince les dents du fond.

Mais, pris de remords, le buveur s'interroge : pourquoi cogne-t-on les verres au fait ? Pour vérif'hips !.. pour vérifier qu'ils sont solides ?

Pas du tout. Mieux aurait valu faire le test avant de servir ce bourbon millésimé. D'ailleurs, la coutume nous arrive du Moyen Âge, où les verres n'étaient même pas en verre. Il s'agissait de timbales en bois ou en métal.

Au Moyen Âge donc, les mœurs étaient rudes. On assassinait son voisin et ses cousins pour un oui pour un non, surtout pour un non, d'ailleurs. Comment ? Tous les moyens étaient bons.

Le plus discret était « le coup de l'apéro » : on invitait la victime à boire une p'tite eau-de-vie qu'vous m'en direz des nouvelles, on versait dans sa timbale un soupçon d'arsenic (ou tout autre élixir équivalent), et le tour était joué – ou plutôt : le fâcheux était occis.

Heureusement, les preux chevaliers, et même les pas preux, ont fini par trouver une parade pour éviter l'empoisonnement.

Mieux qu'un antidote. Quand vous invitiez quelqu'un à boire un coup, votre « ami » vous versait une lichette du contenu de son propre verre dans le vôtre. Et réciproquement. Ainsi, si votre belle-sœur avait décidé de vous expédier dans l'autre monde, la méchante se retrouvait elle aussi du voyage.

Ça ne console pas, certes. Mais ça dissuade.

Le geste a traversé les siècles relativement intact. Aujourd'hui on entrechoque encore chaleureusement les verres, sans toutefois échanger les liquides. On voit par là que la confiance règne.

Jusqu'à preuve du contraire…

Pourquoi les médecins nous tapent-ils dans le dos ?

Vous le subissez chaque fois que vous allez chez le docteur pour ne pas jouer au docteur. Lui non plus ne joue pas. D'une main experte, il tapote dans votre dos. Fermement mais délicatement, comme une grand-mère texane essaie patiemment de faire couler le Ketchup de la bouteille. (Elle est fatiguée, la grand-mère, mais elle sait surtout que rien ne sert de brusquer les éléments.)

Pourquoi ce geste ? Le médecin voudrait-il éprouver la solidité de votre colonne vertébrale ?

Non et non. Non parce que ce n'est pas une question de solidité. Non parce que la colonne vertébrale n'est pas en jeu.

Voici l'histoire de cette pratique médicale. Elle n'a de rapport ni avec le Texas, ni avec le Ketchup ; pardon de vous avoir égaré.

En 1754, un médecin viennois, Leopold Auenbrugger, découvrit qu'en frappant le thorax du patient, il pouvait diagnostiquer certaines lésions des poumons. D'où lui est venue cette intuition ? De son père.

Un médecin ? Non, un tavernier. Papa Auenbrugger tenait une brasserie à Craz, en Autriche.

Le brave homme avait coutume de jauger la quantité de vin qui restait dans ses tonneaux en frappant dessus ; le son creux indiquant la présence d'air et le son plein celle de vin.

À son tour, Auenbrugger-fils tapota le dos de ses patients, comme le faisait son père avec ses fûts. Grâce à quoi, il sut déceler des lésions dans la cavité pulmonaire (tumeurs solides ou liquides). Le son répercuté par un poumon malade diffère de celui produit par un poumon en bonne santé. Le poumon n'est pas une masse uniforme, pleine et compacte. Les deux poumons s'inscrivent en effet dans les deux espaces pleuraux-pulmonaires, lesquels sont remplis d'air. Et le tissu pulmonaire lui-même contient de l'air.

Faites en vous-même l'expérience : tel un bidon de lait, vous obtiendrez un son plus « creux » en cognant au-dessus du poumon rempli d'air, et un son plus « plat » à un endroit où la poitrine renferme des parties plus solides comme les muscles ou les os.

Pof ! pof ! pof ! Pendant sept ans, Auenbrugger expérimenta cette nouvelle méthode sur ses patients. En 1761, il en exposa les résultats à l'ensemble de la profession médicale dans un recueil passé depuis à la postérité. Je veux parler du fameux *Une nouvelle invention pour détecter par percussion*.

Aujourd'hui, le praticien peut ainsi déceler la pleurésie (le son est plus mat qu'à l'accoutumée), ou le pneumothorax (on parle alors d'hypersonorité, le poumon contient trop d'air). D'un autre côté, ou plutôt de l'autre côté, des percussions sur l'abdomen révèlent parfois l'existence d'une occlusion intestinale.

Appelés familièrement « mini-rayons X » par les médecins américains, ces tapotements sont l'une des meilleures façons d'obtenir des informations sur notre état de santé. En tout cas la plus économique. Un proverbe bantou la résume : « Plus le tonneau est vide, plus il fait du bruit. »

C'est comme la tête.

Jusqu'à preuve du contraire…

Pourquoi, au théâtre, y a-t-il le côté cour et le côté jardin ?

Vous connaissez cette paire de magnifiques expressions. Vous croyez même vous souvenir que le côté cour, c'est le côté qui se trouve à gauche de l'acteur quand il regarde le public, et le côté jardin, c'est l'autre : le côté qui se trouve à sa droite. Et vous avez raison.

Mais de quel auteur génial viennent ces dénominations fleuries ? Eschyle ? Shakespeare ? Michel Leeb ?

Beaumarchais. Sans qu'il n'y soit pour rien.

Nous sommes en 1784, à Paris, où des acteurs répètent *Le Mariage de Figaro*. Ces acteurs, ce sont les sociétaires de la Comédie-Française. Suite à des problèmes de place, l'intendance les a provisoirement installés aux Tuileries dans la salle des machines. L'endroit fait face à la Seine. Quand les acteurs regardent le fleuve, ils ont à leur gauche la cour du Palais des Tuileries, et à leur droite, un jardin qui s'étend à l'époque jusqu'à la place de la Concorde. Ils ont donc à leur gauche le côté « cour », et à leur droite le côté « jardin ».

Présentée pour la première fois au public, la pièce connut un triomphe. Et le binôme cour/jardin a lui aussi brûlé les planches. Mais au fait, à quoi servaient ces appellations ?

Pendant le spectacle, à rien.

Mais auparavant, lors des répétitions, elles devinrent indispensables. Et elles le sont toujours.

...quel que soit cet audacieux, il faudra qu'il pénètre ici.

Par exemple, quand le metteur en scène demande à une actrice de se décaler vers la gauche, celle-ci s'interroge : vers la gauche du metteur en scène, ou vers ma gauche à moi ? En revanche, si le metteur en scène lui demande de se décaler côté jardin, autrement dit vers sa gauche à lui, la comédienne comprend aussitôt qu'elle doit faire deux pas sur sa droite à elle. Logique.

Ainsi, que l'on se trouve sur scène ou dans la salle, on n'a plus besoin de s'orienter pour s'orienter. « Bâbord » et « tribord » rendent des services similaires sur un bateau.

Bon. C'est bien joli, tout ça, mais beaucoup ont déjà oublié où étaient le côté « cour » et le côté « jardin ». Voici un moyen mnémotechnique. Quand vous êtes du côté du public – il faut toujours se mettre à la place du public, c'est la clef du succès –, pensez à Jésus-Christ.

« J.-C. » pour les intimes.

Observez ses initiales. À gauche : *J* comme jardin. À droite : *C* comme cour.

Si vous êtes sur scène, revenez à votre place. Ça énerve tout le monde.

Jusqu'à preuve du contraire…

44

Pourquoi
la nuit, en voiture, a-t-on l'impression que la lune nous suit ?

Avec La Rochefoucauld, vous l'avez observé : le soleil ni la mort ne peuvent se regarder fixement. Tandis que la lune, si. Surtout en voiture, la nuit, quand aucun paysage ne distrait.

Imaginez le conducteur d'une voiture qui a la lune face à lui, haut dans le ciel. À mesure qu'il roule, elle l'accompagne. Il ne la rattrape jamais, ni ne la distance. La lune reste là, suivant la même orientation, glissant entre les arbres et les vallons. Elle semble si proche. Cela s'explique évidemment par sa taille gigantesque, mais aussi par le fait qu'il n'y a rien dans le ciel alentour à quoi la comparer.

Les objets proches de la chaussée (un panneau de signalisation, un camion garé sur le bas-côté) semblent fuser près de lui comme une traînée. Plus loin, sur la colline, le majestueux château passe plus lentement.

23h01

Au loin à l'horizon, le conducteur peut distinguer les hautes montagnes qui restent immobiles. À moins que le veinard ne parte au ski, sur des centaines de kilomètres. Dans ce cas, les sommets ne semblent plus infranchissables ; on finit toujours par passer de l'autre côté.

Quel rapport avec la lune ? C'est que la lune se présente à notre regard comme un immense monticule situé très loin de nous. Cette grosse outre de 3 500 kilomètres de diamètre vit sa vie à plus 384 000 km de la terre.

Elle roule vite, cette voiture ! 120 au compteur…

Voyez la différence avec l'illustration de la page précédente. Le château a changé de place, l'automobiliste l'a laissé derrière lui. Mais en progressant de plus de deux kilomètres, l'angle que fait la lune avec la route n'a quasiment pas varié (comparez 2 à 384 000), ce qui donne au conducteur l'impression de n'avoir pas bougé par rapport à elle. Or il sait bien que sa voiture avance, puisqu'il a le pied sur l'accélérateur. Il en déduit donc que la lune avance avec lui. CQFD.

Ce phénomène optique s'appelle la parallaxe. Les astronomes l'ont apprivoisé et s'en servent justement pour déterminer les très grandes distances.

Coluche disait : « Je connais un mec tellement petit, que la première fois que je l'ai vu, j'ai cru qu'il était loin. »

La lune, c'est le contraire.

Jusqu'à preuve du contraire…

23h02

45

Pourquoi
les araignées ne s'engluent-elles pas dans leur propre toile ?

Peut-être avez-vous déjà assisté à ce cauchemar : une araignée tentaculaire et velue se jette sur le pauvre moucheron qui vient d'échouer dans sa toile.

Certes, toutes les araignées ne chassent pas à l'aide d'une toile. On en a recensé plus de 32 000 espèces. Parmi elles, l'araignée-loup poursuit ses proies. L'argyronète, qui vit dans l'eau, utilise une cloche de plongée. La mygale creuse des puits dans le sol et installe des trappes. Ici, nous parlons évidemment de nos amies les argiopes, la famille la plus connue.

Mais on cause, on cause, et notre moucheron se débat encore et toujours, pris de panique, englué de plus belle, définitivement incapable de s'échapper. Et voilà que l'araignée glisse jusqu'à sa proie, avec adresse, comme si elle descendait en rappel, ou le long d'une corde lisse. Comment s'y prend-elle ?

Cette rusée tisse une toile qui ne l'est pas moins. Un organe spécial, baptisé « filière », secrète un fil de soie. En apparence seulement.

Car à y regarder de plus près, l'arachnide est capable de tisser deux sortes de fils : des fils gluants et d'autres qui ne le sont pas. Pour fabriquer son piège, elle commence par tendre un cadre de fils non collants : la trame de la toile. Ensuite, elle tisse le centre de la toile, toujours en fils non collants, puisque c'est là qu'elle se tapit en attendant ses proies. Pour parachever l'ouvrage, en partant du milieu, l'araignée tisse des cercles concentriques de plus en plus larges, gluants cette fois.

Lorsqu'un insecte s'y laisse emprisonner, il gigote frénétiquement pour tenter de se dépêtrer de cette mélasse. C'est le signal de la fin. Car l'araignée le repère justement grâce aux vibrations soudaines de la toile. Elle parvient jusqu'à lui en ne circulant que sur les fils non gluants, dont elle seule connaît l'implantation. Un peu comme les soldats qui ont en poche la carte des mines qu'ils ont déposées sur le terrain à l'intention de l'ennemi.

On a cependant observé qu'une araignée maladroite peut s'emmêler l'une de ses huit pattes dans l'un de ses innombrables fils gluants, et rester prisonnière de son propre piège. Mais le fait est rarissime.

Les araignées, comme le pape et le riz étuvé, sont par définition incollables. Jusqu'à preuve du contraire…

46

Pourquoi les vautours n'ont-ils pas de plumes autour du cou ?

Rappelez-vous les sinistres vautours, battant sournoisement des ailes depuis les westerns sans spaghetti jusqu'aux épisodes désertiques de *Lucky Luke* ; ces charognards qui se repaissent d'animaux morts, plongeant dans les carcasses ; leurs mouvements secs, leur regard avide. Mais surtout leur cou. Un cou nu, long et noueux comme une nuque de croque-mort, sans plumage, ni ramage, prêt à expédier la tête de l'oiseau dans les recoins de chair putride. Pas une plume n'y pousse. Pour quelle raison ?

Avant toute réponse, permettez-moi d'ouvrir une parenthèse. (

Voilà. Je laisserai volontairement à l'écart le majestueux gypaète barbu, cher à Vialatte. *Gypaëtus barbatus* ne se contente pas de sa condition de charognard et n'hésite pas à s'attaquer à des animaux vivants, de grande taille parfois, tels serpents, tortues, lièvres, lapins, et même de jeunes gazelles. Là n'est pas le moindre de ses mystères, puisque le gypaète barbu doit son nom au toupet hirsute qui lui recouvre le menton à la manière d'une barbe, ainsi qu'à son cou richement fourni, orné de longues plumes lancéolées. Il est donc aujourd'hui hors-sujet.

) Parenthèse fermée, nous ne chanterons ici que le roi des vautours, le vautour royal (*Sarcoramphus papa*) qui vit sur le continent américain. C'est le plus célèbre. Le plus photogénique. Le plus craint aussi. Pas seulement par les *cowboys* égarés sans gourde dans la Vallée de la Mort. À l'approche du vautour royal, les autres espèces réunies autour d'un bon gros cadavre s'éloignent prudemment. Ses rivaux le repèrent de loin : le bec est crochu, la queue noire, le collier touffu et grisâtre. Le cou, comme le jabot, est nu, avec juste quelques excroissances de chair.

Pourquoi cette nudité locale ?

Certainement pas pour faire peur ; dans le monde animal, ce sont au contraire les plumes et les poils qui peuvent effrayer l'adversaire par leur taille imposante. Pour tenir la bête au frais ? Mais dans ce cas, le corps entier du vautour serait déplumé…

Alors ? Il s'agit en fait d'un motif d'hygiène. Le vautour royal adore plonger la tête sous la viande. S'il avait des plumes dans le cou, elles ne tarderaient pas à abriter toutes sortes de parasites : des vers à viande ou des insectes, tout ce qu'on peut rencontrer comme sales bestioles dans des abats sanguinolents. D'où des risques de maladies supplémentaires. La sélection naturelle a fait œuvre de salubrité.

En dépit des apparences, le vautour n'a rien d'un parasite nuisible. Ce falconidé (sous-embranchement des gnathostomes) empêche, par son appétit, la pourriture d'énormes quantités de substances organiques, évitant à l'homme, sous des climats chauds et humides, de terribles épidémies. Qui d'autre se délecterait de viscères en état de décomposition avancée ?

Un foie, deux reins, trois raisons d'aimer le vautour.

Jusqu'à preuve du contraire…

47

Pourquoi
le noir amincit-il la silhouette ?

Les magazines féminins vous le rabâchent à longueur de page. Je viens de le lire dans un antique *Jeune et jolie* ainsi que dans *Vieille et pas top* : le noir mincit. Toutes les femmes suivent le conseil, sauf les veuves qui n'ont plus goût à rien.

Mais, au fait, pourquoi le noir affine-t-il la silhouette ?

Le noir est une couleur que l'on qualifie d'absorbante. Il absorbe toutes les longueurs d'onde, autrement dit toutes les couleurs qui composent le spectre lumineux. On y voit moins bien dans une pièce aux murs noirs que dans une pièce aux murs blancs.

Lorsqu'une *top model* revêt sa petite robe noire fourreau de chez Alaïa, notre regard se fixe sur ce qu'il y a de plus voyant : son visage – parfait –, ses mains – impeccables –, ses escarpins – pointure 44. On en oublie sa silhouette. *Idem* si la robe est portée par sa meilleure copine qui toise vingt centimètres de moins, et accuse vingt kilos de plus sur la balance. Victoire ! Yeepee ! Alléluia ! Alaïa !

Il existe, en outre, un curieux effet d'optique que les scientifiques ont encore du mal à parfaitement justifier : le même objet semble plus petit en noir que dans n'importe quel autre coloris. Bien qu'il occupe pourtant théoriquement la même surface sur la rétine.

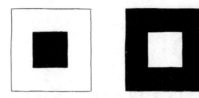

On peut vérifier très aisément ce prodige : il suffit de dessiner sur une feuille deux petits carrés de même taille que l'on entoure chacun d'un grand carré (les deux grands carrés étant aussi de taille identique). On reproduit ainsi deux fois le même dessin. Puis, on colorie l'un des deux carrés centraux en noir ; l'autre reste blanc. Le carré noir paraît alors plus petit que le carré blanc.

Inversement, le blanc présente un léger effet grossissant, car il est luminescent, c'est-à-dire qu'il réfléchit quasiment tout le spectre de la lumière.

Par conséquent, Madame, si vous vous trouvez trop squelettique, enfilez une robe blanche.

Vous ne le trouvez pas un peu maigre, le pape ?

Et les rayures horizontales, hein ? Pourquoi ça grossit ?

Et les rayures verticales, hein ? Pourquoi ça maigrit ?

Tournez la page, vous allez comprendre.

Jusqu'à preuve du contraire…

Pourquoi
les rayures horizontales alourdissent-elles la silhouette (alors que les rayures verticales l'amincissent) ?

Inutile de vous faire un dessin (Cathy Karsenty est là pour ça), les rayures horizontales grossissent alors que les verticales affinent. C'est bien connu, et c'est pour cela que les bandes verticales détiennent aujourd'hui 97,58 % du marché de la rayure (maillots de sport exceptés).

Là, il ne s'agit pas d'une illusion d'optique. Les lignes horizontales favorisent simplement ce qu'on appelle la lecture horizontale ; alors que les verticales favorisent la lecture verticale.

Lecture horizontale ? Verticale ? Quoi qu'est-ce ?

Question de reconnaissance des formes.

Quand on regarde un croquis, ou une lettre, ou n'importe quel objet qui nous entoure, nous analysons inconsciemment sa forme générale. Comment ? C'est l'objet lui-même qui va guider notre analyse.

Je m'explique : un objet rayé horizontalement influence notre perception dans le sens où nous allons davantage prendre garde à ses côtés qu'à sa partie supérieure ou inférieure. Tout simplement parce que ses rayures guident la vision vers les côtés de l'objet, et ainsi occultent le haut et le bas.

Inversement, des rayures verticales, ou un texte écrit à la japonaise – du sommet à sa base –, poussent notre système oculaire à considérer l'objet dans sa hauteur.

Quand je dis « objet », je pourrais tout aussi bien dire « homme » ou « femme ». Résultat : une robe à rayures horizontales mettra davantage en valeur la rondeur des hanches qu'une robe à rayures verticales qui, elle, incitera notre regard à plonger sur des chaussures extravagantes.

Et une veste écossaise, à rayures croisées ? Ça complique tout.

Jusqu'à preuve du contraire…

Pourquoi
nos dents ne poussent-elles pas définitivement, en une seule fois ?

L'homme naît sans dents. Ce qui l'éloigne du caïman, mais le rapproche du couteau Opinel. Avant un an, les premières dents apparaissent. Ce sont les dents de lait. À six ans, l'enfant les a toutes en bouche (il y en a vingt). Pas pour longtemps. À partir de sept ou huit ans, elles tombent une à une, pour laisser place aux trente-deux dents définitives qui vont pousser comme leur nom l'indique. Définitivement.

Mais pourquoi, se demande la petite souris, pourquoi les dents ne viennent-elles pas en une seule fois comme les oreilles ou les doigts de pied ? À quoi servent les dents de lait ?

Au fur et à mesure que l'individu grandit, sa mâchoire grandit avec. En revanche, les locataires de ladite mâchoire, les dents, ne grandissent pas : elles poussent. Une dent, qu'est-ce que c'est ? C'est la minéralisation d'un tissu vivant. À l'origine, sa taille n'excède pas quelques millimètres, disons deux ou trois. Une fois le tissu minéralisé, autrement dit, une fois qu'il s'est complète-ment transformé en dent, il ne bouge plus.

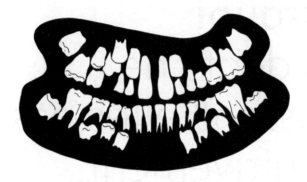

Une dent garde la même taille du début à la fin de sa vie de dent. Si, au début, on la croit minuscule, c'est simplement parce qu'elle se cache sous la gencive.

Une radio de la mâchoire d'un enfant *(voir ci-dessus)* fait d'ailleurs apparaître beaucoup plus de dents qu'il semble nécessaire de prime abord.

Pas question que la petite quenotte ne devienne un immense croc. Même si elle n'est pas abîmée quand elle tombe. Elle serait trop chétive pour nos grandes gueules de grandes personnes. D'où ces deux arrivages distincts : une série de dents (de lait) pour notre étroite mâchoire d'enfant. Et, planquée dessous, une série de dents (définitives) pour notre mâchoire d'adulte.

Vous imagineriez Schwartzenegger avec des dents de bébé ?

Autant faire rouler une Ferrari avec des roues de poussette.

Jusqu'à preuve du contraire…

Pourquoi
les étoiles sont-elles inégalement réparties dans le ciel ?

Vous l'avez remarqué en levant la tête au ciel, pendant les chaudes nuits d'été. Suivant où l'on porte le regard, on découvre des zones constellées d'étoiles (c'est le cas de le dire), et d'autres quasiment dépeuplées.

Pourquoi les étoiles ne sont-elles pas réparties de manière homogène sur la voûte céleste, puisqu'on nous dit qu'il y en a tout partout dans l'univers ?

Dans l'univers oui. Mais pas dans notre galaxie.

La terre, et avec elle notre système solaire, campent dans une galaxie qui n'est pas sphérique mais allongée, aplatie, un peu comme une grosse galette rebondie au centre. L'ensemble compte cent milliards d'étoiles et de la matière interstellaire (plasma et poussière). Or, la terre est confinée au bord de la galaxie, à sa périphérie, à quelque 28 000 années-lumière du centre.

Tout dépend donc dans quelle direction on braque sa longue-vue.

Vous êtes ici.

Vous êtes là.

Si l'on regarde vers le centre de la galaxie, il y a évidemment beaucoup d'étoiles dans notre champ de vision. La fameuse Voie lactée. Mais si l'on regarde ailleurs, autrement dit latéralement, il y en a beaucoup moins. Et pour cause : notre galaxie a une épaisseur maximale de 15 000 années-lumière, pour une longueur de 100 000 années-lumière ; c'est-à-dire huit à dix fois plus suivant les endroits. Voilà pourquoi les étoiles ne sont pas réparties uniformément dans notre ciel.

Même à Hollywood.

Jusqu'à preuve du contraire…

51

Pourquoi
lève-t-on le pouce vers le haut pour dire que tout va bien ?

Vous le savez : quand on lève le pouce, cela signifie parfois qu'on fait de l'auto-stop, mais plus souvent que tout baigne.

Pourtant, il n'y a aucune raison objective à ce geste. Pourquoi « tout va bien » ne serait-il pas symbolisé par le pouce tourné vers la droite, ou par un mouvement du bras, ou n'importe quoi d'autre ?

Ce n'est pas la prévention routière, mais les Étrusques, puis les Romains, qui ont lancé la coutume cinq siècles avant notre ère. Aux jeux du cirque. Pour un gladiateur, le pouce tourné vers le haut depuis les tribunes de l'arène signifiait que sa vie serait épargnée. Un bonheur ineffable.

Les Égyptiens, eux, avaient mis au point un véritable langage du pouce dont les significations étaient proches du nôtre, mais avec infiniment plus de variantes.

Pourquoi ces civilisations avaient-elles choisi le pouce comme moyen de communication ?

Les historiens romains contemporains de Jules César ont donné les premiers une réponse à ce POURQUOI, et je ne les en remercierai jamais assez.

Ils avaient observé qu'à la naissance, le bébé tient généralement la main fermée avec le pouce replié à l'intérieur. Au fur et à mesure qu'il grandit, le nourrisson réagit à son environnement en ouvrant progressivement la main, ce qui libère le pouce. Et comme pour boucler la boucle, la main se referme au moment de la mort, pour à nouveau tenir le pouce prisonnier.

Les Romains en avaient déduit que le pouce tourné vers le haut était signe de vie, et signal de mort dans le cas contraire.

Allez, pouce : j'ai fini pour aujourd'hui.

Jusqu'à preuve du contraire…

52

Pourquoi les zèbres ont-ils des rayures ?

Vous connaissez les rayures du zèbre. Des blanches, des noires, des noires, des blanches, il y en a tellement qu'on ne dit même plus qu'il est rayé, on dit qu'il est zébré.

Mais au fait : à quoi servent-elles ? Certainement pas à se camoufler dans le paysage. Vous avez déjà vu un décor de brousse rayé verticalement noir et blanc ? À la limite brun et roux…

Les rayures pourraient éventuellement servir comme signal de reconnaissance à très courte distance, mais là encore, on connaît des milliers d'autres espèces animales qui se distinguent parfaitement sans avoir à recourir à une décoration bichromatique si stylisée.

En fait, il semble que l'explication se tienne ailleurs. Non pas du côté du zèbre, mais de ses ennemis.

Première observation : tous les zèbres ne sont pas rayés de la même façon. Au nord et au sud de l'Afrique, ils ressemblent davantage à des ânes tachetés, pas avec des rayures franches comme au centre du continent.

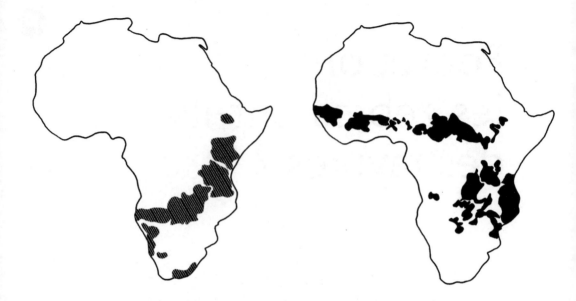

Des chercheurs allemands et anglais ont découvert que les zones où vivent les zèbres rayés *(carte de gauche)* correspondent peu ou prou au territoire de la mouche tsé-tsé *(carte de droite)*, celle qui véhicule la maladie du sommeil. Au fur et à mesure que l'on s'enfonce en Afrique tropicale dans les régions infestées par l'insecte, les rayures du zèbre gagnent en netteté, et son aspect diffère de plus en plus de celui de l'âne. Dans le sud par exemple, le couagga qui vivait au Cap il y a un siècle était uniquement rayé sur le cou.

Quel rapport avec la mouche tsé-tsé ? C'est que les yeux à facettes de l'insecte perçoivent très mal les formes géométriques. Et en particulier les rayures. Par conséquent, la mouche tsé-tsé ne repère que très difficilement le zèbre, donc elle l'épargne, allant administrer ailleurs sa léthargique piqûre.

Dernière question : le zèbre est-il noir à rayures blanches, ou blanc à rayures noires ?

La réponse se fait toujours attendre.

Jusqu'à preuve du contraire…

53

Pourquoi
les avaleurs de sabres ne s'égorgent-ils pas ?

Vous avez déjà vu cela à la foire ou en cuisine : un inconscient qui s'enfile une lame d'au moins trente centimètres dans la gorge. Sans trucage, qu'il dit. Mais quel est le truc ? Un sabre télescopique qui se rétracte dans le manche ou dans la bouche ?

Voyons. Le sabre circule de main en main parmi les spectateurs, avant et après le numéro. Vous l'inspectez. Rien à dire. Ou plutôt si : un engin de mort qui couperait la tête à mille hérétiques. Alors où est le truc ?

Pas dans l'arme. Mais dans l'avaleur.

Normalement, quand on essaye de s'introduire un objet dans la gorge, on a aussitôt un réflexe de haut-le-cœur qui empêche d'avaler l'objet et, donc, éventuellement, de s'étouffer avec. Vous l'avez remarqué en vous enfonçant un doigt au fond de la bouche (pour des motifs que je préfère ignorer).

Or, les avaleurs de sabres ont appris à contrôler les muscles de leur gorge pour annihiler ce réflexe, et permettre à la lame de passer.

Vous objectez que la bouche et l'estomac ne sont pas en ligne droite ? C'est ce que vous croyez !

Certes, au repos, il y a comme un angle droit. Mais l'œsophage peut se retrouver en ligne droite de l'axe de la cavité buccale à la condition expresse de renverser la tête en arrière, à angle droit justement. Ce que font les avaleurs de sabres. Ainsi, ils évitent la pomme d'Adam, et ils peuvent faire descendre leur sabre jusque dans l'estomac. Ou presque. Un peu comme la regrettée Linda Lovelace, dans *Deep Throat* (1972). Avec délectation. Ou presque.

Jusqu'à preuve du contraire…

54

Pourquoi,
quand on ouvre
une bouteille de
champagne,
commence-t-on par
tourner le bouchon
sur lui-même, plutôt que
de le tirer directement
vers le haut ?

Vous connaissez le principe, mais vous voulez en avoir le cœur net. C'est bien. Alors sortez le champagne du réfrigérateur. Et profitez de l'instant : vous voici dans le premier livre de questions en direct.

Attrapez fermement la bouteille, saisissez le bouchon, tournez-le sur lui-même jusqu'à ce qu'il commence à bouger et là, tirez un bon coup, mais pas trop fort quand même. « Plop » !

Laissez retomber la mousse. Avant de déguster, une question : pourquoi avez-vous commencé par tourner le bouchon, au lieu d'y aller franchement vers le haut ?

Parce que vous êtes malin. Et partisan du moindre effort. Bravo !

D'abord, quand on croit faire pivoter le bouchon, en réalité, on le tord sur lui-même. On tourne certes le haut du liège, mais le bas (la partie toujours prisonnière de la bouteille) ne bouge pas tout de suite.

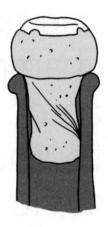

Or, quand on tord un objet, celui-ci diminue de diamètre à l'endroit même où il se tord, parce qu'en fait il s'allonge. Comme par exemple un gant de toilette : si vous l'essorez, à l'endroit où il se tord, il s'amincit. En termes savants, on appelle ce phénomène une striction. Bref, à l'endroit où le bouchon est tordu, son diamètre diminue. De très peu, insuffisamment pour être distingué à l'œil nu, mais il diminue quand même. Du coup, à cet endroit-là, les forces d'adhérence à la paroi de verre sont moins grandes. Donc, le bouchon commence à glisser. À partir de là, ça va tout seul.

Vous pouvez vous resservir une autre coupe. Il existe encore une autre raison. On l'a vu : le bouchon se décompose en deux parties. Il y a le haut qui se trouve hors de la bouteille, et le bas coincé dans le goulot. La partie supérieure du bouchon présente un rayon environ deux fois plus grand que celui de la partie inférieure. Cela ne vous rappelle pas le principe du levier ?

Quand vous tournez votre bouchon sur lui-même, vous exercez votre force sur la partie supérieure du bouchon, donc sur un rayon deux fois plus grand. Ce qui revient à dire que vous avez deux fois plus de force que si vous l'aviez bêtement tiré vers le haut.

Santé encore !

Deux verres, ça va.

Jusqu'à preuve du contraire…

55

Pourquoi
les dromadaires
ont-ils une bosse ? Et
pourquoi les chameaux
en ont-ils deux ?

Ensemble, comptons les bosses. Dromadaire : 1. Chameau : 2.

Pourtant ce double POURQUOI n'est pas arithmétique, mais zoologique. La question première n'est pas de savoir pourquoi le dromadaire a une bosse, mais plutôt de comprendre ce qu'elle fait sur son dos. Je suis sûr que vous avez une petite idée : la bosse du dromadaire serait une réserve d'eau. Eh bien non !

Grâce à sa bosse, certes, le dromadaire peut résister à la sécheresse du désert. Dix fois mieux que l'homme, quatre fois plus que le cheval. Il peut parcourir trois cents kilomètres en quatre jours sans absorber une seule goutte de liquide. Pourtant sa bosse contient non pas de l'eau, mais de la graisse.

De la graisse par cette chaleur ? Oui. Car comme tous les composants de notre corps, la graisse contient de l'hydrogène. Quand celui-ci se consume avec l'oxygène de l'air (c'est le phénomène bien connu de la respiration), il se forme de l'eau. H_2O, deux atomes d'hydrogène pour un atome d'oxygène.

D'où cette sophistication suprême de la nature : la bosse de graisse de quarante kilos du dromadaire lui fournira bien plus de quarante litres d'eau.

Mais alors, pourquoi le chameau a-t-il deux bosses ? Boit-il davantage que le dromadaire ? Ou est-ce son climat qui est plus ensoleillé ?

Loin du bar, répertorions leurs différences. Tous deux sont des camélidés. Le chameau (*Camelus bactrianus*) vit en Asie et blatère. Le dromadaire (*Camelus dromedarius*) se tait, lui, en Afrique. Ils ne se croisent qu'au zoo et au cirque.

Les bosses du chameau renferment également des réserves de graisse que son métabolisme sait transformer en eau quand le besoin s'en fait sentir. Pourquoi son cousin le dromadaire en a-t-il une en moins, alors qu'il serait si pratique d'en avoir une deuxième de rechange ?

C'est que j'ai parlé trop vite.

En fait, comme les chameaux, les dromadaires ont eux aussi deux bosses. Simplement, on ne perçoit pas bien la première – celle qui fait suite au garrot. Les deux bosses ont fusionné. Morphologiquement, l'unique bosse du dromadaire équivaut aux deux bosses du chameau. En observant attentivement un dromadaire, on s'aperçoit qu'une sorte de « pli de séparation » s'est maintenu entre les deux bosses.

Et justement, je vous le conseille. On n'observe jamais assez le dromadaire.

Jusqu'à preuve du contraire…

Pourquoi, à la campagne, deux maisons qui se suivent n'ont pas des numéros qui se suivent ?

Vous vous en êtes rendu compte le week-end dernier en allant voir la nouvelle bicoque de vos amis en Normandie. Ils habitent au bord d'une petite route, entre Honfleur et Trouville. Au numéro 24.

En arrivant au numéro 111, vous avez cru qu'il vous faudrait encore un certain temps afin de franchir les numéros séparant les deux maisons. Ô surprise ! Le numéro qui suit est le 24, celui de vos amis.

Houla ! D'une part, on passe directement du numéro 24 au 111. D'autre part, sur le même côté de la route, on peut trouver un numéro pair et un numéro impair. S'agit-il d'une erreur des Ponts-et-Chaussées ? Le p'tit calva envoyé avant de partir aurait-il coincé ?

Ni l'un, ni l'autre. Hors des villes, on n'utilise pas la numérotation paire/impaire, mais la numérotation métrique. Le numéro 111 n'est donc pas celui de la cent-onzième maison. Il signifie que la maison est située à 111 mètres en partant du début de la route.

Pourquoi n'utilise-t-on pas la numérotation paire/impaire à la campagne ?

Parce que cela pourrait surprendre. Et pas qu'en bien. Imaginez que vous cherchiez le numéro 16. En arrivant au numéro 12, vous croyez y être presque. Vous vous exclamez : « J'y suis presque ! » En fait, il peut vous rester un, deux, ou trois kilomètres à parcourir. Si vous circulez à vélo, et en montée, c'est vraiment une très mauvaise surprise.

Jusqu'à preuve du contraire…

Pourquoi se serre-t-on la main pour se dire bonjour ?

Cela vous semble tellement naturel que vous n'y faites plus attention. On se serre la main pour se dire bonjour. C'est tellement vrai que pour se dire au revoir, on se serre aussi la main. Généralement la même.

Pour quelle raison ?

La question n'est pas aussi élémentaire qu'il n'y paraît.

Car il n'en a pas été toujours ainsi. Il y aurait mille manières de se dire bonjour, comme le pittoresque salut esquimau nez contre nez. Sous l'Antiquité, à Sparte, à Rome, à pied ou à cheval, les hommes se saluaient d'un simple geste de l'avant-bras. Cette politesse s'est répandue et pratiquée à peu près partout en Europe au Moyen Âge. Puis, sans qu'on en date précisément l'origine, les gentilshommes ont commencé à se serrer la main.

Pourquoi ?

En ces temps rudes et sauvages, les chevaliers, les nobliaux, les négociants, les marchands, les bandits de grand chemin, en un mot les hommes, les vrais, portaient en permanence sur eux un petit poignard. Ils n'hésitaient pas à le sortir à la moindre alerte. Que survienne une rencontre : un simple salut du bras ne suffisait pas à les renseigner sur les intentions – pacifiques ou belliqueuses – du nouveau venu.

En revanche, en serrant sa paume contre celle du visiteur, on vérifiait ainsi qu'il n'était pas armé.

Certains esprits perfides prétendent que cette technique de cordiales salutations a été perfectionnée par les Anglais, qui secouaient en sus le bras de l'impétrant (pour faire choir son éventuelle dague). Le fameux *shaking hands*, traduit littéralement : « Secouons-nous les mains ».

Quoi qu'il en soit, c'est pour les mêmes raisons pratiques que les femmes ne se serrent pas systématiquement la main, mais embrassent au contraire leurs connaissances sur la joue. Traditionnellement, dames et demoiselles n'étaient pas armées. Sinon d'un sourire. Et le code de la chevalerie interdisait toute agression envers le beau sexe.

Désarmant.

Jusqu'à preuve du contraire…

Pourquoi le sigle du dollar est-il $?

Une histoire de gros sous ! Vous le savez, « dollar » peut se symboliser de deux façons différentes : le *S* s'orne au choix d'un trait ($), ou de deux traits ($).

Dans les deux cas, une seule et même question : pourquoi le sigle du dollar est-il un *S* barré ? Un *D* pour « dollar », passe encore ! Mais un *S* ! Et pourquoi l'a-t-on barré ?

L'histoire du dollar commence au XVIᵉ siècle, sur le Vieux Continent. C'est la période de l'explosion de la demande de monnaie pour les échanges commerciaux, et l'empire germanique a pour monnaie le thaler. L'influence germaine s'étendant sur une partie de l'Europe, notamment sur l'Espagne, ainsi que sur l'Amérique du Sud, la monnaie franchit les océans. Et son nom évolua peu à peu, pour devenir « tolar » puis « dollar ». Ou enfin, plus précisément, le « dollar espagnol ».

Mais comment cette monnaie en vint-elle à devenir celle des États-Unis ? Pendant très longtemps, plusieurs monnaies cohabitèrent dans le territoire qui n'était pas encore indépendant. Certains états battaient leur propre monnaie et la monnaie anglaise tenait le haut du pavé – si l'on peut dire… –, jusqu'à ce que la crise au Royaume-Uni pousse la colonie à s'en affranchir.

Le dollar américain a été créé le 2 avril 1792, adopté en 1793, et la première pièce fut frappée en 1794.

Le sigle est directement lié à son histoire… Son nom est en effet, à l'origine, le « spanish dollar », puisqu'il vient de la zone d'influence espagnole.

SPANISH dollar $

On a commencé par abréger le nom de la monnaie ainsi : S ll – *S* pour *Spanich* et les deux *l* de dollar. Puis les deux barres sont venues se placer sur le *S*, pour plus de clarté peut-être.

Mais cette histoire ne convainc pas tous les spécialistes. Certains préfèrent une explication plus anglo-saxone.

US $ $ $

En anglais, on dit « *The United States* », avec pour initiales *US*. Eh bien *US*, justement, c'est ce qu'avait imprimé la Federal Bank sur les premiers billets américains. Mais c'était calligraphié d'une manière très particulière : le *U* chevauchait le *S*. Or, si on dessine un *U* très allongé par dessus le *S*, cela revient presque à barrer le *S* de deux traits. Voilà pour l'explication des deux stries verticales. Mais la rayure unique ? Toujours aussi simple.

Avec le temps, on a dessiné les barres du *U* de plus en plus serrées, jusqu'à ce qu'elles se superposent pour n'en plus former qu'une seule.

D'où le $…

Il n'y a pas de petites économies.

Jusqu'à preuve du contraire…

59

Pourquoi
la ville que l'on cherche est-elle *toujours* au bord de la carte ?

Vous l'avez remarqué, vous aussi ! La portion de carte dont on a besoin est toujours au bord ! Ou sur la pliure quand c'est une grande carte ! S'agit-il d'un complot des fabricants de cartes ? Veulent-ils nous faire acheter plus d'entre elles, en changeant les cadres pour éviter ce genre de désagrément ? Ou alors un coup sournois des fabricants de GPS ?

Rien de tout cela. Cessons notre crise de paranoïa. C'est simplement une question de logique mathématique.

Examinons une carte de plus près…

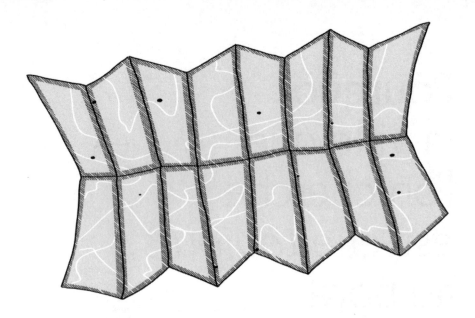

Si l'on considère qu'une ville est au bord de la carte lorsqu'elle se situe dans une bande de 2 cm sur le côté, sachant que la portion de carte que l'on a sous les yeux est en général au format A4, soit environ 21 sur 29 cm, la bande représente 192 cm^2, alors que la surface totale de la carte est 609 cm^2. C'est-à-dire un tiers de la carte environ. C'est considérable ! Cela amène à une chance sur trois le fait de chercher un point qui se trouve dans la bande fatidique.

D'autant plus que lorsqu'on regarde une carte, c'est que l'on roule, en général. Donc même si l'on part du centre, on va forcément arriver au bord à un moment… On va alors faire l'expérience terrible de la ville cachée dans un coin de la carte, et que l'on ne parvient pas à retrouver sur l'autre carte, presque à coup sûr.

Jusqu'à preuve du contraire…

60

Pourquoi y a-t-il 60 minutes dans une heure ?

Vous l'avez remarqué aux derniers jeux Olympiques, en observant le chronomètre défiler en bas à droite de l'écran. Il y a soixante secondes dans une minute (on s'en assure pendant le deux cents mètres nage libre) ; et soixante minutes dans une heure (c'est flagrant dans le marathon). Vous rétorquez : pourquoi pas ? Certes, pourquoi pas soixante ? Mais pourquoi pas dix ? Et pourquoi pas cent ?

À cause d'un système de comptage inventé bien avant l'apparition du chronomètre électronique. Au début du XIVe siècle se produit un événement crucial pour la mesure du temps : l'Europe renonce à l'ancestral décompte inégal des heures. Car depuis l'Antiquité, l'homme vivait sous un régime élastique : douze heures du lever au coucher du soleil, et douze encore du coucher à l'aube. Quelle que soit la saison. Dans la journée, les heures raccourcissaient en hiver rallongeaient en été et la nuit, c'était l'inverse. C'est d'ailleurs le sens premier de l'expression « les longues nuits d'hiver ».

Terminé ! Les heures modernes auront toutes une durée égale.

Quant à la subdivision des heures, il règne à cette époque une joyeuse anarchie. Chacun y va de sa méthode. Par exemple, l'encyclopédiste Barthélemy l'Anglais, qui tient à respecter le système des 24 heures invariables, les divise chacune en 4 points ou 40 moments, dont chacun comprend 12 onces, l'once elle-même étant de 47 atomes… Pourquoi faire simple quand on peut faire compliqué ?

Pour mettre de l'ordre, on décide alors d'appliquer à la mesure du temps le système arithmétique qu'utilise l'Europe en cette fin de Moyen Âge. Le calcul sexagésimal, autrement dit à base de fractions de 60.

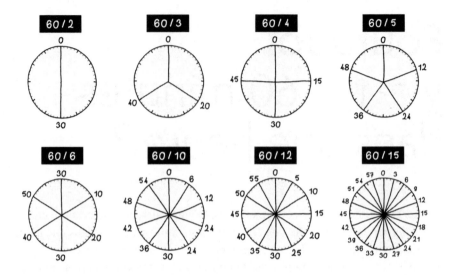

Pourquoi 60 ? (j'y reviens). Parce que la machine à calculer n'existait pas. On savait facilement additionner, multiplier, soustraire. Mais les pires difficultés consistaient à opérer les divisions.

Or, le nombre 60 recèle de ce point de vue des qualités remarquables. Il se divise par 2, par 3, par 4, par 5, par 6, et donc par 12, par 10, par 15, par 20 et par 30. Fastoche !

Pas fous, les anciens. Les premières traces humaines de calcul, l'arithmétique chaldéenne vieille de 3000 ans avant J.-C., l'arithmétique commerciale sumérienne, et les tablettes de Nippur gravées à Babylone entre 2200 et 1350 avant notre ère utilisaient déjà la base 60.

Les mathématiques nous enseigneront plus tard que 60 est le PPCM (plus petit commun multiple) des entiers de 1 à 6.

Peu à peu, la science a abandonné le système sexagésimal, trop fastidieux à manier dans le cas de calculs compliqués. Simon Stevin de Bruges s'efforça le premier de mettre au point le calcul arithmétique à partir de 1586.

Désormais, les trains arrivent à l'heure.

Jusqu'à preuve du contraire…

61

Pourquoi
les chiffres sont-ils disposés différemment sur une calculatrice et sur un téléphone ?

Regardez votre téléphone. Il est numéroté ainsi :

Allez maintenant chercher votre calculatrice ici, voyez vous-même :

C'est encore plus saisissant si vous avez un iPhone. Le clavier est configuré différemment selon que vous vous servez de la fonction appel ou calculette.

Rien de plus agaçant pour les frénétiques du clavier que d'être obligés de réfléchir avant de taper, en passant d'un coup de fil à une addition. C'est vrai à la fin, on croit faire un *7* et c'est le *1* qui sort, quant au *6*, il devient… *6*. Eh oui, seules les lignes du haut et du bas sont interverties. « Ils » n'ont pas poussé le vice jusqu'à changer également le sens des touches. « Ils », car la théorie du complot a poussé les paranos à affirmer – sans aucune preuve – que c'est un choix des opérateurs de téléphone pour que les gens ne puissent pas bloquer le système en composant trop vite leurs numéros.

Autant le dire tout de suite : la vérité est ailleurs. Un historique s'impose. À l'origine, les ancêtres des calculatrices étaient mécaniques. Les premiers claviers étaient inspirés de ceux des caisses enregistreuses, sur lesquelles les chiffres commençaient par le bas.

Alors pourquoi les constructeurs de téléphone ont-ils suivi une autre logique ?

Tout simplement parce qu'un élément supplémentaire est entré en ligne de compte : les lettres ! Chaque chiffre correspondant à un groupe de trois lettres (sauf le *9* qui en a quatre), il était logique de commencer, comme pour l'écriture, en haut à gauche…

Jusqu'à preuve du contraire…

62

Pourquoi les cuisiniers portent-ils une toque ?

Vous l'avez remarqué en cuisine, ou paradoxalement dans les publicités pour les boîtes de conserve. Les cuisiniers portent sur la tête une toque et rien d'autre. Quand ils sont célèbres, il y a leur nom brodé dessus. Quand ils ne le sont pas, il est à l'intérieur – c'est leur femme qui a cousu l'étiquette, comme en colonie de vacances.

Reprenons. Que les cuisiniers portent quelque chose sur la tête, d'accord, que leurs cheveux poisseux n'aillent pas se noyer dans le ragoût qui mijote. D'accord aussi pour la toque, afin qu'on les distingue des garçons de salle, ou de la dame-pipi.

Mais pourquoi une construction si haute, donc peu pratique ? Et blanche, donc salissante ? Pourquoi pas un Panama, une casquette de base-ball, un *sombrero* ?

En France, jusqu'au XVIIe siècle, les cuisiniers portaient des couvre-chefs (c'est le cas de le dire) de taille et de couleur différente suivant leur rang dans la hiérarchie. Mais au XVIIIe siècle, le fameux chef Antonin Carême trouve que toutes ces variantes font désordre. Il ne veut voir qu'une seule couleur. Et une seule forme.

Né en 1784, débutant par la boulangerie, Carême fut le premier chef à se faire appeler « chef ». Il a été au service de Talleyrand, qui avait pour ordre de la part de Napoléon de recevoir toute l'Europe à sa table. Talleyrand l'a beaucoup encouragé à creuser ses idées culinaires : utilisation des fines herbes, amélioration des sauces, etc. Puis il parcourt l'Europe, demandé dans toutes les cours.

En 1821, il est au service de lord Charles Stewart, en Autriche. Les bonnets de coton blanc utilisés jusque-là ne le satisfont plus. Ils manquent de rigueur, sont trop mous (reconnaissons qu'ils ressemblaient davantage aux bonnets des Schtroumpfs qu'à la tour de Pise !). Il imposera la toque. Pour la rigidifier, il fit placer à l'intérieur un morceau de carton pour qu'elle se dressât avec majesté. Dans quel but ? Pour ventiler le haut du front et le crâne qui transpirent dans la chaleur des cuisines.

De nos jours, le carton a été remplacé par de l'amidon, mais le principe reste le même.

Jusqu'à preuve du contraire…

63

Pourquoi
les fautes typographiques ont-elles été baptisées des « coquilles » ?

Vous en avez déjà relevées, de ces coquilles, ne serait-ce qu'en parcourant le journal du lendemain. Car c'est toujours dans l'édition du lendemain que le directeur de la publication s'excuse d'une faute typographique parue la veille. Sous le titre « *Erratum* », trône la formule consacrée : « Une malencontreuse coquille a rendu incompréhensible notre article d'hier au sujet de…, etc. » Suit quelque bévue dont la drôlerie tient généralement à une lettre près.

Par exemple, le soir de la naissance du prince Charles (à moins que ce ne soit Andrew), un correspondant de l'AFP, pris par l'événement, avait titré : « La reine d'Angleterre accouche d'un gardon », au lieu de : « La reine d'Angleterre accouche d'un garçon ». Lorsqu'il réalisa son erreur, il rectifia aussitôt : « La reine d'Angleterre accouche d'un lardon ».

Plus récemment, un quotidien régional du Sud-Ouest a fait paraître le rectificatif suivant : « *Erratum* : dans notre dernier numéro, à la place du titre de rubrique *Erratum*, il fallait lire *Errata*. » Félicitations. On n'est jamais trop précis.

Savoureuses coquilles. Mais pourquoi une telle appellation ? Quel rapport avec saint Jaques ? Ou des noix ? Voire une protection intime de gardien de but ?

Aucun. Mais munissez-vous plutôt d'une feuille de papier, d'une gomme et d'un crayon.

COQUILLE

COQUILLE

Écrivez le mot « COQUILLE ».

Maintenant, gommez le *Q*…

C'était la plaisanterie favorite, et redoutée, des ouvriers du livre de la grande époque, quand les journaux étaient encore fabriqués au plomb. Bien avant l'invention du traitement de texte.

Mais les temps changent, et l'ordinateur fait peu à peu disparaître les coquilles.

Jusqu'à preuve du contraire…

64

Pourquoi
les dents de sagesse n'ont-elles presque jamais la place de pousser ?

Ce sont les grosses molaires du fond. Il y en a théoriquement quatre, comme les pattes du chat : deux en haut, deux en bas, et deux de chaque côté. Je dis théoriquement car certains en ont moins, d'autres davantage.

Les dents de sagesse, ainsi nommées car elles poussent en général entre 18 et 24 ans, sont la bête noire de bien des jeunes adultes. Douleurs perfides qui débouchent souvent sur des extractions toujours désagréables… Mais pourquoi donc ces dents n'ont-elles pas vraiment la place de pousser ?

C'est précisément l'âge auquel elles apparaissent qui explique ce fait.

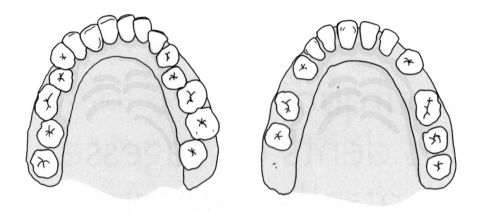

Quand les dents de sagesse déboulent, les dents définitives sont installées depuis plus de dix ans. Bien soignées, elles remplissent la bouche, occupant toute la place sur les gencives. Mais ceci est très récent à l'échelle de l'humanité. En effet, depuis la nuit des temps, les dents ont eu une durée de vie courte, voire très courte. Abîmées, cariées, elles tombaient généralement quelques années après avoir poussé. D'où l'intérêt d'en voir arriver de nouvelles ! Sans oublier que l'espérance de vie n'était pas la même qu'aujourd'hui. À quarante ans, Cro-Magnon était un vieillard…

Léonard de Vinci, décidément touche à tout, a été le premier à effectuer des dessins exacts des dents et des mâchoires. Mais il faut attendre le règne de Louis XIV pour que les dentistes soient reconnus comme des praticiens à part entière… Jusque-là, les charlatans n'étaient pas inquiétés. Leur principale thérapeutique n'en restait pas moins l'extraction, ce qui limitait le nombre de dents subsistant dans la bouche et laissait toute la place nécessaire aux dents de sagesse.

De nos jours, il arrive que ces dents de sagesse poussent de plus en plus tard – parfois jusqu'à soixante ans – suivant en cela l'évolution de la durée de vie des hommes. Mais nous sommes trop bien soignés dans les pays occidentaux pour qu'elles aient une chance d'être bienvenues. Y'a plus la place !

Jusqu'à preuve du contraire…

65

Pourquoi
l'enseigne des bureaux de tabac est-elle un losange rouge ?

Vous l'avez remarqué en levant la tête : au-dessus de chaque bureau de tabac est accrochée une sorte de double cône de couleur rouge vif, que les détaillants et les fumeurs habitués (pléonasme) appellent la « carotte ».

Pourquoi cette forme ? Quel rapport entre les carottes et le tabac ? Et ne me dites pas que les carottes rendent aimables les fumeurs qui en auraient bien besoin. Personnellement non-fumeur, je suis impartial sur le chapitre.

Il y a deux siècles, la consommation de tabac en Europe faisait un tabac – justement. À cette époque, les paquets rigides de vingt n'existaient pas, et les feuilles étaient vendues sous la forme de rouleaux allongés que l'on râpait pour en faire une poudre. Cette poudre était ensuite prisée – justement.

Au début de *Dom Juan*, Molière fait l'éloge du tabac, par la voix de Sganarelle, le valet qui s'exclame : « Mais qui vit sans tabac n'est pas digne de vivre ! Il purge le cerveau et il rend honnête homme car on fait circuler la tabatière. »

Oui, mais notre carotte ?

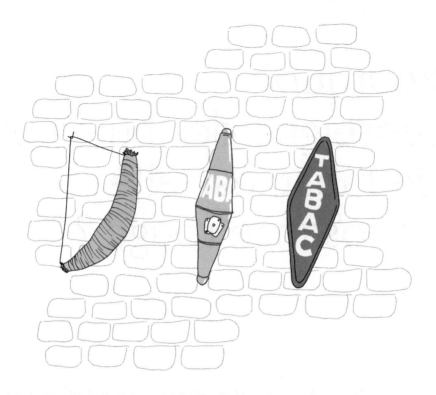

Bien avant les cafetiers, les premiers à vendre du tabac furent les épiciers et les apothicaires. Et comme les rouleaux de tabac ressemblaient à une carotte, ils ont eu l'idée d'accrocher un véritable tubercule, fraîchement cueilli dans le jardin, à leur devanture pour avertir les clients. Par ailleurs, certains ont noté que dans une boîte, la carotte permet de bien humidifier le tabac.

Peu à peu, ladite carotte s'est stylisée. Des petits malins ont fabriqué de fausses carottes, plus grosses, plus orange encore, en un mot plus *vendeuses*. Il ne manquait plus que l'électricité. On a installé un néon à l'intérieur, on la repère de toujours plus loin.

C'est bien la première fois qu'une carotte nuit gravement à la santé.

Jusqu'à preuve du contraire…

66

Pourquoi
dit-on « merde »
pour porter chance
avant un spectacle ?

« Greg, la France te dit merde ! »

Voilà le genre de message qu'on pouvait lire sur le site officiel de TF1, à la page *La ferme célébrités*. Il s'adressait à Grégory, ex-Greg le Millionnaire (je précise pour ceux qui tomberont sur ce livre dans vingt ans et qui se demanderont qui est ce Greg, si peu célèbre pour une « célébrité »). Quand tout un pays vous insulte, même pour vous porter chance, voilà qui mérite une explication.

L'usage vient du monde du théâtre, avant de se répandre ensuite dans le spectacle et le sport.

Des calèches et leurs chevaux qui attendent devant un théâtre qui se remplit (on voit un couple élégant, robe longue pour elle, haut-de-forme pour lui).

Remontons au XIXe siècle, quand ni la télé ni l'automobile n'avaient été inventées. La bourgeoisie se déplaçait en calèche. Le soir, aux alentours des théâtres, des ribambelles de calèches attendaient les spectateurs, leurs propriétaires. Et comme les chevaux ont pour particularité, notamment, de se soulager quand bon leur semble, il régnait au bout d'un moment une nette odeur de fumier aux abords de la salle de spectacle. Plus une pièce avait du succès, plus l'odeur était forte ! D'où l'habitude de souhaiter « de la merde » à ceux qui commençaient les représentations d'une pièce ou d'un opéra. En dehors, et non sur scène.

Jusqu'à preuve du contraire…

67

Pourquoi
les kangourous
sautent-ils si haut ?

Nous avons plusieurs valeurs communes avec le kangourou. Le marsupial mesure environ 1,80 mètre et pèse dans les 85 kg. Chez l'homme, le record du monde du saut en hauteur culmine à 2,45 m. En saut en longueur, l'Américain Mike Powell est retombé à 8,95 m, avec 20 bons mètres d'élan. Comparons avec ce qui est comparable : pour un gabarit identique, le saut d'un kangourou moyen – même pas un champion – atteint facilement 9 m de long, et 3 m de haut !

Mais comment font-ils ? Je ne vous apprends rien : le kangourou ne court pas, il se déplace en sautant. Pourquoi ces bonds et d'où vient cette faculté de sauter si haut ?

En dépit des apparences, le bond est un moyen de déplacement qui demande assez peu d'énergie pour conserver une vitesse moyenne. (De toute façon, le kangourou ne peut rien faire d'autre, car ses pattes arrière ne fonctionnent qu'en parallèle : il lui est impossible de les dissocier pour marcher.)

Contrairement aux hommes par exemple, la puissance des kangourous ne réside pas seulement dans leurs muscles. Ils en ont, certes, mais qui n'ont pour fonction que d'amortir l'atterrissage après le saut. Ce qui fait leur force, c'est que chaque saut prépare le suivant, en quelque sorte… Voici pourquoi.

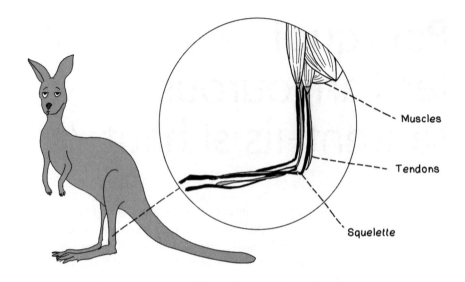

Muscles

Tendons

Squelette

On peut comparer le fonctionnement des pattes arrière du kangourou avec celui d'un trampoline. L'énergie d'un saut est recyclée dans le suivant. Les tendons agissent comme des ressorts : ils emmagasinent l'énergie lorsque le kangourou atterrit et la libèrent lorsqu'il remonte. L'os du talon, appelé « calcanéum », a une forme spéciale, qui agit comme un levier. L'appui se fait sur l'avant de la patte, ce qui a pour effet de mettre en tension le tendon qui s'insère sur l'arrière. Cette énergie sera libérée au moment du saut.

Ce qui, paradoxalement, fait qu'il dépense moins d'énergie en vitesse de pointe que lorsqu'il baguenaude tranquillement à la recherche de nourriture.

Jusqu'à preuve du contraire…

68

Pourquoi
les abeilles tournent-elles autour de la nourriture, sans y toucher ?

C'est un classique de l'été : un déjeuner au soleil, voire l'apéro, gâché par l'arrivée d'une abeille qui virevolte, inspecte, mais ne touche à rien. Doublement agaçant : on a peur d'être piqué, et surtout on se dit que si elle mangeait un peu, ensuite elle partirait, rassasiée. Mais non. Elle tournicote, puis s'en va. Pas pour longtemps, car elle revient avec des copines…

La vie des abeilles au sein d'une colonie est très organisée, comme chacun sait. Les rôles sont répartis entre les membres de la ruche en fonction de leur âge notamment. Les jeunes abeilles commencent par nettoyer leur cocon (range ta chambre !) avant de prendre part à la vie de la ruche, par exemple en la ventilant, ou encore en s'occupant des larves (garde tes frères et sœurs !). C'est seulement dans la seconde partie de leur vie (pas bien longue : de quelques jours à quelques semaines pour les ouvrières) qu'elles auront le droit de sortir. Leur tâche consiste alors à rapporter de la nourriture à la ruche. Si elles vont naturellement vers les fleurs, elles explorent aussi les autres sources potentielles. Par exemple la tarte aux pommes qui trône sur la table. Mais au lieu de se jeter dessus pour la dévorer voracement, l'abeille, dans un premier temps, va se contenter de l'observer. De noter tous les détails. De mémoriser le plan d'accès. On les appelle les éclaireuses. Car les abeilles ont une prodigieuse méthode de communication, qui leur permet d'indiquer des localisations presque aussi sûrement qu'un GPS.

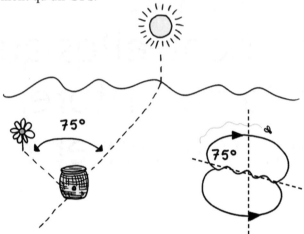

Revenons à notre éclaireuse. Une fois ses repères pris (d'où le vol autour de la nourriture), elle retourne à la ruche pour indiquer le – bon – plan aux autres.

Tout passe par la danse. Si la source de nourriture se trouve à moins de vingt-cinq mètres de la ruche, elle effectue une danse en rond. Dans le cas, plus complexe, où la nourriture est plus lointaine, un vol en 8 lui permet de donner toutes les indications. Elle va d'abord montrer s'il faut aller vers le soleil ou lui tourner le dos, en fonction de son sens de rotation pendant le vol. Ensuite, l'inclinaison du plan de son vol indique l'angle par rapport au soleil, par exemple 80 degrés. Pour préciser la distance à parcourir, elle adapte sa vitesse de vol : plus la nourriture est lointaine, plus le vol est lent.

Une colonie de 30 000 abeilles peut visiter 21 millions de fleurs par jour, soit près de 700 sources de nourriture par individu. Normal qu'il s'en trouve une pour survoler votre verre de rosé.

Jusqu'à preuve du contraire…

69

Pourquoi
les voilages
ne laissent-ils passer
la lumière que dans
un seul sens ?

Vous l'avez constaté la journée : les rideaux permettent de voir dehors, mais depuis la rue, personne ne voit chez vous. La nuit c'est l'inverse : tout le monde peut voir dans votre salon.

Pourquoi un voilage devant une fenêtre sera-t-il efficace le jour et inefficace la nuit, lorsque la lumière est allumée dans la pièce ? Quelle est donc la particularité de la matière de ces rideaux ?

Au risque de décevoir les fabricants de voilages, leur matière peut être remplacée par beaucoup d'autres pour obtenir le même résultat. Car ce n'est pas le rideau qui fait le travail…

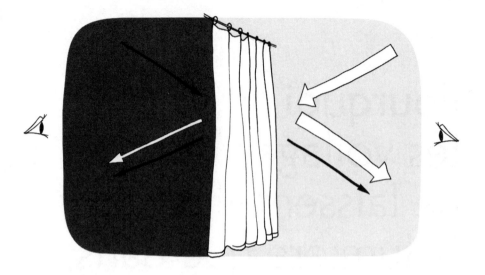

Ce qui importe, c'est que l'intérieur et l'extérieur soient séparés par une matière qui laisse passer un peu de lumière, mais surtout qu'ils connaissent un contraste de luminosité flagrant.

Tout est question de réflexion. Pendant la journée, le voilage laisse passer de la clarté sans que l'on puisse voir l'intérieur de la pièce depuis l'extérieur parce que l'intérieur est plus sombre que l'extérieur. Ainsi, la lumière extérieure sera en partie réfléchie par le rideau et, plus vive que la lumière qui vient de l'intérieur, elle la supplantera.

La nuit, si l'on allume une lumière dans la pièce, l'effet inverse se produira. La lumière des lampes, réfléchie par les voilages, vous empêchera de voir dehors.

Moralité : la lumière passe bien dans les deux sens, mais les voyeurs doivent rester dans l'ombre.

Jusqu'à preuve du contraire…

70

Pourquoi
le terme « *bug* » désigne-t-il une erreur informatique ?

Vous savez ce qu'est un *bug*. Et ça vous énerve bien assez comme ça pour que je m'abstienne de développer. Sachez, à toutes fins utiles, qu'en anglais, « *bug* » signifie insecte. Quel rapport ?

Il était une fois une chercheuse dans un laboratoire, dans les années 1950, aux États-Unis, qui travaillait sur un calculateur baptisé Eniac. Eniac était un mastodonte comme les débuts de l'informatique en ont le secret, il pesait plus de trente tonnes et occupait 72 m² !

Un beau jour, la machine s'arrêta. Un silence de plomb succéda au vacarme de son fonctionnement. Que se passait-il ?

Voilà ce que Grace Hopper consigna dans son journal : un insecte avait été pris au piège de la machine ! Elle le nota dans son journal et prit l'habitude, lorsque quelque chose ne fonctionnait pas, de dire qu'elle « cherchait l'insecte ».

C'est une belle histoire… Mais voilà que l'on trouve, en 1903, trace d'un autre « *bug* », un insecte comme nous ne les aimons pas. Celui-ci se trouvait sur un nouvel appareil de transmission électrique en morse, le Vibroplex, novateur mais particulièrement complexe d'utilisation. Il produisait souvent des problèmes sur les lignes et devint ainsi le symbole de soucis de fonctionnement.

Jolie histoire… Mais voilà encore une fois que les certitudes vacillent. Thomas Edison en personne utilise ce terme dans ses notes, et il apparaît dans un dictionnaire, le *New Catechism of Electricity* de Nehemiah Hawkins, en 1896, avec la définition suivante : « Le terme "*bug*" est utilisé pour désigner tout problème ou erreur dans le fonctionnement d'un appareil électrique »… !

Voilà ce que c'est de chercher la petite bête. Il y en a toujours une autre qui sort.

Jusqu'à preuve du contraire…

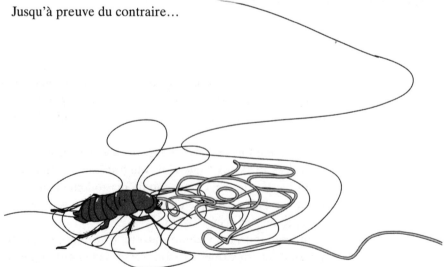

71

Pourquoi n'y a-t-il pas de « IV » sur une horloge ?

Observez le vieux coucou de la maison de grand-mère. Les heures y sont inscrites en chiffres romains : « I » puis « II » puis « III », puis « IIII »…

C'est quoi ce « IIII » ? Ce n'est pas un complot contre le quatre-heures, non ! Mais le fait est que beaucoup d'horloges, en particulier les fameuses horloges comtoises, préfèrent au « IV » dit « soustractif » un « IIII » écrit ainsi (une graphie correcte, qui correspondait à la première façon de l'écrire dans la numérotation romaine).

À première vue, c'est étonnant : on risque de se tromper dans la lecture, avec toutes ces barres. Et pourtant, c'est bien pour plus de clarté que l'on procède ainsi.

Regardez ces deux cadrans.

Dans la mesure où les chiffres sont placés tête en bas, les quatre barres (au niveau des 20 minutes) sont plus claires à la lecture qu'un « IV », que l'on pourrait prendre pour un « VI ».

D'autre part, le cadran de droite semble mieux équilibré que celui de gauche : à droite, les quatre caractères du « IIII » répondent au quatre du « VIII ».

À noter que ce type de graphie s'appelle un « quatre d'horloger », et que Big Ben n'en possède pas. De là à en conclure que les Anglais ne peuvent rien faire comme tout le monde. Manquerait plus qu'ils roulent à gauche !

Jusqu'à preuve du contraire…

72

Pourquoi les oies volent-elles en « V » ?

Le peuple migrateur. Dieu que ce documentaire est beau et majestueux ! À croire que les oies volent en escadrille pour être photogéniques. Ou pour se faire repérer des chasseurs. Ou alors voudraient-elles rivaliser avec la patrouille de France ?

Toujours est-il que ce vol en « V » caractéristique a fait couler beaucoup d'encre et tourner les règles à calcul, avant que le génie animal en sorte une fois encore grandi. Car si les oies volent ainsi, c'est qu'elles ont empiriquement intégré un des grands principes de l'aérodynamique, donc de l'aéronautique : produire un maximum de portance, pour un minimum de traînée. Autrement dit : planer le plus possible, avec le moins de résistance à l'air possible.

Au bout des ailes se crée une turbulence, en termes savants un « tourbillon marginal », un courant d'air cylindrique qui fait varier la pression sur l'oiseau placé dans son sillage, ce qui aide ce dernier à flotter sur l'air, et donc limite ses efforts. Pour des animaux qui parcourent des milliers de kilomètres, c'est une aide précieuse. En volant ainsi en formation, les oiseaux ont au moins 70 % de plus de capacité de vol : de quoi être sûrs d'atteindre les terres ensoleillées !

Évidemment, la place de l'oiseau de tête est la plus fatigante. C'est pourquoi les oies se relaient pour ouvrir la formation, de façon à répartir l'effort entre les membres de l'escadrille. Exactement comme les échappés se passent le relais dans les courses cyclistes, pour aller plus vite collectivement en se fatiguant le moins possible individuellement.

Ultime interrogation : pourquoi ce « V » simple ? Pourquoi derrière chaque oiseau n'y en a-t-il pas deux autres, un de chaque côté ? Tout simplement parce qu'avec leur envergure, les risques de touchette, donc d'accidents seraient trop élevés.

Jusqu'à preuve du contraire…

73

Pourquoi
a-t-on les yeux rouges
sur les photos
prises au flash ?

Vous l'avez encore déploré en passant en revue les photos de baptême de votre petit cousin. Toute l'assemblée a les yeux rouges. On croirait les participants d'un congrès sur la myxomatose. Ce n'est ni la maladie, ni l'émotion. C'est le flash !

Que s'est-il passé ?

Généralement, l'amateur avisé utilise son flash lorsque la lumière baisse. Ça tombe bien. C'est justement à cet effet qu'on l'a inventé.

Pourtant, dans ce cas, notre œil sait s'adapter. Alors que le film couleur réclame un éclairage supplémentaire, nous y voyons parfaitement. C'est justement cette facilité d'adaptation qui cause tant de dommages sur la pellicule.

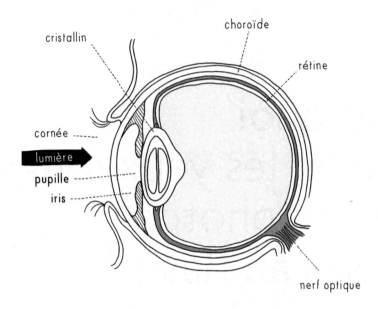

cristallin

choroïde

rétine

cornée

lumière

pupille

iris

nerf optique

Reprenons. Il fait sombre. Inconsciemment, notre iris s'ouvre, comme un diaphragme, pour laisser venir davantage de lumière sur la rétine. Autrement dit, la pupille – le trou noir au centre de l'œil – se dilate. Ce qui découvre progressivement le cristallin, qui agit, en quelque sorte, comme une lentille d'appareil photo.

Or, le cristallin renvoie la lumière du flash avec une coloration rouge. C'est ainsi ; question de longueurs d'ondes absorbées et réfléchies. Par conséquent, malheureusement, vos yeux apparaissent rouges sur la photo.

Rassurez-vous, ce principe a été mis a profit par les fabricants. Il existe désormais des appareils anti-yeux-rouges. Avant d'impressionner la pellicule, ils expédient une série d'éclairs rapprochés, à la manière d'un stroboscope. L'œil réagit automatiquement à cet afflux de lumière. L'iris se ferme, la pupille se rétracte. En quelques fractions de secondes, le cristallin a été masqué. C'est à cet instant que vous serez photographié. Bien vu !

Si vous possédez un appareil de ce type, mais que vous êtes nostalgiques des yeux rouges, photographiez des lapins.

Jusqu'à preuve du contraire…

74

Pourquoi les cloches apportent-elles des œufs à Pâques ?

Qui n'apprécie pas la tradition pascale ? Cacher des œufs dans le jardin. Et les découvrir. Mais pourquoi attendre Pâques ? Pourquoi des œufs ? Pourquoi pas des petites fleurs, ou des nains en céramique ?

Tout commence par une histoire de cloches.

Au Moyen Âge, une fable voulait que les cloches des églises soient condamnées au silence entre le Jeudi saint et le Samedi saint. Comme elles n'avaient pas le droit de sonner, les cloches partaient en pèlerinage à Rome pour y rencontrer le pape. Après s'être confessées et s'être fait bénir, les cloches revenaient carillonner au pays le jour de Pâques. En rapportant avec elles des œufs, les célèbres œufs de Pâques.

Pourquoi des œufs ? Enfant, j'ai longtemps cru que c'était parce que l'œuf était pour les chocolatiers la forme la plus simple à fabriquer.

Hélas, à l'époque à laquelle remonte la belle légende, l'année 1519 relève de la science-fiction. L'Espagnol Ferdinand Cortes n'a encore pas rapporté du Mexique en 1519 la poudre de cacao. Bref, le chocolat n'existait pas au Moyen Âge. Les œufs de Pâques étaient de véritables œufs de poule.

Leur légitimité vient de plus loin encore. Pâques est la fête de l'Église chrétienne, en mémoire de la résurrection du Christ. La date de Pâques a été fixée en 325 par le concile de Nicée au premier dimanche après la pleine lune, qui a lieu soit le jour de printemps (21 mars), soit aussitôt après cette date. Fête mobile, Pâques oscille suivant les années entre le 22 mars et le 25 avril.

Ce qui en revanche ne varie pas, c'est que le jour de Pâques marque la fin du Carême, pénitence de quarante jours entamée le mercredi des Cendres.

Or, pendant le Carême, les Catholiques s'interdisent de manger de la viande et des œufs.

Seulement voilà. Les poules, elles, ne s'arrêtent pas de pondre pendant cette période de quarantaine. Les œufs s'accumulent. Les premiers, ceux pondus au début du Carême, finissent même par pourrir. Le jour de Pâques, il en reste toutefois un très grand nombre bons à consommer. Comment les écouler ? Une famille n'y suffit plus… Voilà pourquoi les paysans en ont offert à tout le voisinage. Une vraie fête !

La coutume se généralisera dans le courant du XIXe siècle. Pour les enfants des villes, les confiseurs lanceront les œufs en chocolat. Payants cette fois. Une vraie trouvaille.

Jusqu'à preuve du contraire…

75

Pourquoi
le renard des sables a-t-il les oreilles plus grandes que le renard ordinaire ?

Vous l'avez remarqué en feuilletant les planches couleur du dictionnaire : les renards qui vivent dans les pays chauds ont les oreilles plus grandes que leurs cousins des pays froids ou tempérés.

Voilà qui tracasse l'auditeur le plus blasé : pourquoi y aurait-il davantage d'événements sonores à écouter – pour un renard – dans le désert kabyle, plutôt que dans les forêts d'Europe centrale ?

Les Arabes l'ont baptisé fennec, un joli mot qui claque comme deux cailloux qui se froissent, et qui nous est resté. Le fennec a d'immenses oreilles, larges et hautes. Vu de face, on dirait qu'il a la grosse tête.

En fait, ces prodigieuses esgourdes ne lui servent pas tant à entendre le monde qui l'entoure, qu'à se rafraîchir.

Un délicat réseau de petits vaisseaux sanguins irrigue ses grand pavillons. À travers la peau fine, le sang cède une partie de sa chaleur. Cet afflux de sang chaud vers les tissus superficiels plus froids s'appelle le refroidissement par convection, une technique bien connue des zoologues, et des chauffagistes.

Dans la journée, le renard des sables reste à l'abri du soleil, et grâce à ses grandes oreilles, l'excès de chaleur qui pourrait nuire à sa santé est évacué.

Et la nuit, tous les renards sont gris.

Jusqu'à preuve du contraire…

76

Pourquoi les Rastas ont-ils des *dreadlocks* ?

Bob Marley avait lancé la mode, suivi par Jimmy Cliff, Lenny Kravitz, Yannick Noah, et peut-être même prochainement Harlem Désir, lui qui s'est tant intéressé aux mouvements de jeunes. Ces tresses qui ondulent au gré des coups de tête se nomment des « *dreadlocks* ». Une traduction approximative aboutit à « mèches qui font peur ». Peur à qui ? Vraisemblablement aux coiffeurs. Le mien leur reproche leur côté salissant.

Le Rasta n'en a cure. Et qui dit «Rasta » dit « *dreadlocks* ». Et *vice versa*. Et réciproquement. Et pour quelle raison ?

Premier des Rastas, Marcus Garvey a le cheveu court. Dans les années 1920, ce prêcheur prône à Harlem le retour en Éthiopie, où règne le dieu vivant qui mènera le dernier combat contre le mal : l'empereur Ras Tafari, plus connu sous le nom de Haïlé Sélassié. À l'époque, pas de look rasta. Sur ses photos, Marcus Garvey pose plutôt au roi en exil, avec uniforme d'opérette et bicorne.

Il faudra attendre que le mouvement se développe en Jamaïque pour voir surgir les premiers Rastas, des rebelles des montagnes qui ont décidé que l'herbe était le seul Saint Sacrement. Dans les années 1940, ces hippies noirs qui vivent en communauté finissent par s'inventer une vraie religion, avec ses rites, ses obligations et ses croyances. Comme beaucoup de monde avant eux, les Rastas trouvent tout dans la Bible. La mention de la marijuana comme herbe sainte à fréquenter dévotement ; la confirmation écrite de la sainteté de Ras Tafari. Ainsi qu'une précieuse phrase, issue de nombres 6.5, qui prescrit le port

du cheveu long, non peigné, en crinière de lion :
« Aussi longtemps que le voué à Dieu sera consacré par son vœu, le rasoir ne passera pas par sa tête ; jusqu'à ce que se soit écoulé le temps pour lequel il s'est voué à Dieu, il sera consacré et laissera croître librement sa chevelure. »

D'un côté, ils pendent, de l'autre, il a des *dreadlocks* sur la tête.

Certains vieux sages traduisent joliment cette injonction : « Aucun objet tranchant n'approchera la tête du juste. »

Les ghettos urbains adoptèrent à leur tour le rastafarisme, avec sa lecture particulière de l'Ancien Testament qui voit dans l'Afrique sa Terre Promise et s'appuie sur les stricts principes du Pentateuque. La Bible leur enseigne « qu'ils ne se feront pas de tonsure sur la tête, ne se raseront pas le bord de la barbe et ne se feront pas d'incisions sur le corps » (Lévitique, 21).

Reste une question : pourquoi avoir tressé ces mèches folles ? Les Anciens vous répondront que c'est plus pratique, et moins encombrant.

Pour une fois, les Saintes Écritures n'y sont pour rien.

Jusqu'à preuve du contraire…

77

Pourquoi
ne faut-il pas
toucher le crâne
des bébés ?

Tous les pédiatres, toutes les mères, tous les nouveaux pères vous l'ont inter-dit : ne touchez pas au crâne de bébé ! Il a la caboche malléable, plus fragile qu'un genou de gymnaste centenaire. Et vous savez peut-être pourquoi : à cause de la fontanelle, l'étroite zone molle qui se trouve sur le sommet de sa tête. À cet endroit, les os du crâne ne sont pas encore soudés entre eux. Pas avant le quinzième mois. En attendant, une membrane fibreuse dépressible fait la jonction. Si on y enfonce le pouce, ou même un manche de friteuse, les lésions cérébrales seront impardonnables.

Comment est-ce Dieu possible ? Pourquoi le crâne n'est-il pas « construit en dur », comme le tibia ou n'importe quel os du corps ? Pourquoi la nature a-t-elle choisi de laisser sans défense un organe aussi précieux que le cerveau ?

Paradoxalement, pour le protéger…

Je n'apprendrai à personne que l'accouchement provoque parfois quelques difficultés physiques. En particulier, le vagin n'est pas extensible à l'infini.

Même si le nouveau-né présente une tête quelque peu bosselée, son cerveau n'aura pas été endommagé par cette première épreuve.

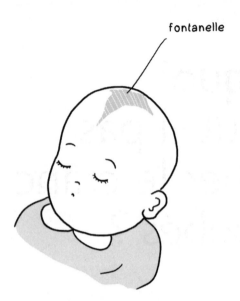

fontanelle

Les os de la boîte crânienne sont imbriqués de telle sorte qu'ils se chevau-chent au moment de la venue au monde. La tête, qui est la partie la plus impor-tante du corps, peut ainsi plus aisément se frayer un passage dans le vagin.

Grâce à la fontanelle, les os malléables du crâne peuvent se rapprocher les uns des autres pour protéger le cerveau du bébé.

Toutefois, à l'instar des coups de marteau, ça fait quand même du bien quand ça s'arrête.

Jusqu'à preuve du contraire…

78

Pourquoi y a-t-il tant de fenêtres murées sur les beaux immeubles parisiens ?

Comme Yves Montand, vous aimez flâner sur les Grands Boulevards. En levant la tête cependant, vous l'avez regretté : de magnifiques constructions haussmanniennes sont ornées d'une ou plusieurs fausses fenêtres en trompe l'œil, quand elles ne sont pas grossièrement murées.

Ailleurs, les immeubles plus modestes des quartiers populaires, tel le Faubourg Saint-Antoine, semblent avoir été épargnés par la chose, toutes vitres dehors.

Alors pourquoi cette faute de goût chez les riches exclusivement ?

Comme toujours chez les riches, c'est d'argent qu'il s'agit. Non point de décoration architecturale.

Le drame remonte au Directoire, quelques années après la Révolution française.

Le gouvernement voulait créer une taxe foncière, mais ne savait pas comment s'y prendre pour calculer les superficies. Le système métrique avait du mal à s'imposer.

...comme vous pouvez le constater, ce n'est qu'une modeste demeure...

Le législateur s'inspira alors de la *Window Tax* anglaise. Les propriétaires étaient taxés non pas en fonction de la superficie de leur bien, mais suivant le nombre de fenêtres dont il disposait, ce qui simplifiait les méthodes de calcul. La contribution des portes et fenêtres débarqua en France le 24 novembre 1798.

Mais aussitôt, de braves bourgeois – et de moins braves – firent murer chez eux une ou deux fenêtres... pour payer moins cher.

De l'histoire ancienne ? Pas du tout ! L'impôt sur les portes et fenêtres a subsisté plus d'un siècle : du Directoire jusqu'à la Première Guerre mondiale !

Le fisc, de nos jours, ne pourchasse plus les fenêtres ouvertes. Heureusement ! J'en connais qui se seraient barricadés dans le noir.

Jusqu'à preuve du contraire...

79

Pourquoi
le système de comptage des points au tennis est-il si compliqué ?

Zéro, 15, 30, 40, avantage, jeu, set et match !

Sûr que c'est pas simple. Souvenez-vous des grandes heures de Roland-Garros à la télévision. Heureusement que le commentateur rappelait indéfiniment le score, sinon la France tennistique aurait été complètement perdue en revenant du réfrigérateur les bras chargés d'eau minérale naturelle pétillante bien fraîche (la bière, c'est pour les footeux).

Pourquoi les points ne sont-ils pas comptabilisés 0, 1, 2, 3 ? Pourquoi pas 2, 4, 6 comme au basket ? Pourquoi pas 100, 200, 300 comme au flipper ?

Pourquoi 15, 30, puis 40 ? Même pas une progression régulière…

Le tennis est l'héritier d'un jeu ancien, très en vogue au moment de la Révolution : le jeu de paume. Son principe s'apparentait à celui de notre tennis : il y avait un filet, deux joueurs (quelquefois plus), et une balle qu'il fallait renvoyer de l'autre côté du filet. Mais non pas avec une raquette, avec la main (la paume exactement).

Le premier manuel officiel du jeu de paume est celui de Manevieux : *Traité sur la connaissance du royal jeu de paume*, publié en 1784. Nous en connaissons donc parfaitement les règles.

À l'origine, les points se marquaient un par un, en toute logique mathématique. Sauf que le jeu de paume se combinait à celui de « gagne-terrain ». Plus un joueur engrangeait de points contre son adversaire, plus il s'approchait du filet.

Quand il avait gagné son premier point, il avançait de 15 pieds (c'était une mesure de l'époque qui correspondait à peu près à un pied humain ; soit de nos jours un petit 42). Pour le deuxième point, il s'approchait encore de 15 pieds (ce qui faisait 30). Quand il gagnait une troisième fois, il s'approchait du filet de 10 pieds (ce qui faisait 40). Ensuite, comme il était très proche du filet, il avait beaucoup plus de facilité à passer la balle de l'autre côté ; on disait alors que le joueur avait « un avantage » sur son adversaire.

Et voilà, on s'y retrouve : 0, 15, 30, 40, avantage. Le comptage de base du tennis était né.

Au passage, le mot « tennis » est lui aussi issu du jeu de paume. Un jeu si prisé des gentilhommes qu'il avait franchi la Manche pour être adopté par les familles les plus huppées d'Angleterre. À Londres comme à Saint-Petersbourg, l'usage dans la haute société consistait alors à parler le français plutôt que l'anglais ou le russe. Et « tennis » est une déformation de l'impératif « tenez » qui vous prévenait qu'on allait vous lancer la balle.

Deux jeux, deux langues : pas étonnant que l'on s'y paume.

Jusqu'à preuve du contraire…

80

Pourquoi
mesure-t-on les pierres et les métaux précieux en carats ?

Vous connaissez le point commun entre les truands notoires et les rédacteurs des gazettes mondaines : ils n'apprécient que l'or à 18 ou 24 carats, et accessoirement quelques diamants monumentaux bourrés de carats jusqu'à plus soif.

Mais qui était ce fameux Carat ? Un aristocrate ? Un nabab ? Un joaillier ? L'inventeur du diamant, comme Volta découvrit la pile électrique, et Watt la machine à vapeur ?

Non, c'est un fruit.

Le carat, vient du mot italien « *carato* », lui-même emprunté à l'arabe *qîrât*. Le terme « *qîrât* » signifiait à la fois graine de caroubier, et petit poids. C'est la graine séchée de la caroube. La caroube, c'est le fruit du caroubier. Et un caroubier, c'est un arbre méditerranéen. La caroube, césalpiniée à la pulpe très sucrée, ressemble à une gousse d'environ quinze centimètres de long. Les graines qu'elle renferme, les carats donc, ont une particularité : elles ont quasiment toujours le même poids.

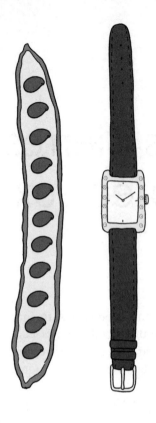

Ceci explique cela. À l'époque où l'on n'avait pas de balances perfectionnées, on utilisait les carats comme contrepoids pour peser l'or et les pierres précieuses. C'est qu'on avait trouvé de plus fiable.

Jusqu'à 1912, le carat équivalait à 0,2055 g. Aujourd'hui, il s'est stabilisé à 0,2 g, système métrique oblige.

Et *quid* de l'expression « 24 carats » ? Pourquoi jamais 11 ou 25 carats ? Attention à ne pas confondre. Un carat correspondait également à chaque vingt-quatrième d'or fin contenu dans une quantité d'or. Tout ça parce qu'à La Mecque, du temps de sa splendeur vers la fin de notre Moyen Âge, le carat était la vingt-quatrième partie du denier. On ne pouvait faire ni plus, ni mieux.

La plus belle pierre du monde ne peut donner que ce qu'elle a.

Jusqu'à preuve du contraire…

81

Pourquoi
mange-t-on avec une fourchette ?

Vous l'avez tous remarqué, au moins à table. Pour ne prendre que deux exemples sélectionnés au hasard, les Chinois mangent avec des baguettes, et les indiens Maoris avec les doigts. Pour autant, ces deux peuples n'en sont pas moins raffinés. Ni affamés.

Alors pourquoi nous, Occidentaux (à l'exception notable des comédiens des films de Marco Ferreri), pourquoi disais-je, mangeons-nous avec une fourchette ?

L'usage nous en vient de la Renaissance, dans quelque cour d'Italie où les maîtres des lieux mangeaient avec leurs doigts, ainsi que dans toute autre principauté d'Europe.

Nous sommes aux alentours du XVe siècle. À cette époque, l'Italien est élégant (comme toujours), versatile (comme personne), et à la dernière mode (comme aujourd'hui).

Celle du moment était les fraises. Pas les succulentes *Fragaria dicotylédones* de nos jardins (à déguster sans sucre et par la queue), mais ces énormes collerettes blanches qui cernent le cou et confèrent à son propriétaire une grotesque majesté.

À force de se pousser du col, et pour cause, la haute société exigeait des fraises de plus en plus larges, sophistiquées, lourdes, et par conséquent encombrantes. Le jour vint où les fraises étaient devenues si grandes que les bras n'étaient plus assez longs pour parvenir à engloutir la nourriture.

Le génie italien aurait donc inventé la fourchette pour saisir les aliments et gagner les vingt ou trente centimètres nécessaires pour atteindre la bouche.

Les débuts (c'est le propre des débuts) furent héroïques. On rapporte que les convives étaient si maladroits que des laquais aidaient les gloutons à enfourner leur gigot entre les dents.

C'est ainsi que l'usage de la fourchette s'est généralisé en Europe, puis dans le monde civilisé, de Buckingam Palace aux cuisines de Bokassa.

Jusqu'à preuve du contraire…

82

Pourquoi
les bains sont-ils si relaxants ?

Vous le savez, vous en jouissez, le bain détend, délasse, repose, relaxe. Il arrive même qu'il nettoie… Par quel miracle un procédé aussi simple procure-t-il un tel plaisir ?

La présence de l'eau ? La pluie nous mouille tout autant.

La chaleur ? Le bain réchauffe les frileux, mais pas mieux que la douche. Et pas davantage qu'un lit avec kit complet : couette douillette, édredon rembourré et bouillotte brûlante.

La position allongée ? Certes, contrairement à la douche, cela joue. Mais cela ne suffit pas à expliquer les exceptionnelles propriétés apaisantes du bain. Car il y a bien d'autres endroits où s'allonger. S'étendre sur son lit, même une demi-heure, ça repose, je vous l'accorde ; mais rien de comparable à la félicité offerte par ne serait-ce que trente minutes de bain.

Alors, nommons le responsable : Archimède.

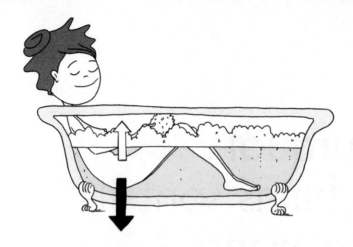

Si les bains nous relaxent autant, c'est grâce à lui. Vous connaissez le principe : tout corps plongé dans un liquide subit une poussé verticale, dirigée de bas en haut, égale au poids du liquide déplacé. En effet, lorsqu'on se trouve dans l'eau, dans une piscine par exemple, notre corps est repoussé à la surface des flots en vertu de ladite poussée. En deux mots : on flotte.

Dans le bain, même topo. La poussée d'Archimède nous porte. Si l'on ne flotte pas, c'est simplement parce que la baignoire n'est ni assez large, ni assez profonde pour nous immerger complètement.

Cependant le résultat est identique : l'effet de la pesanteur s'atténue, on pèse moins lourd. Moins de pression sur nos muscles et sur nos articulations, et par conséquent moins de fatigue. On se trouve dans un état de semi-pesanteur. Autant dire de béatitude.

Celui qui accuse 80 kg sur la terre ferme ne pèsera plus que 25 kg environ dans son bain (cela dépend de la profondeur de la baignoire). L'élégante nymphette de 60 kg se sentira comme une sylphide de 19 kg.

Vous en doutez ? Vérifiez-le si vous avez encore une balance mécanique. Faites preuve de souplesse (au sens propre et figuré). Évitez le bain moussant : ça ne fausse pas les calculs, mais ça empêche de lire le cadran.

Jusqu'à preuve du contraire…

P.-S. : Par souci de clarté, nous avons volontairement indiqué les poids en kilogrammes, plutôt qu'en sthène ou en newton. Le kilogramme est une unité de masse, certes, mais essayez donc d'expliquer cela à quelqu'un qui attend que la salle de bains se libère…

83

Pourquoi
les pirates sont-ils toujours représentés avec un foulard sur la tête ?

Souvenez-vous des récits de marine que nous dévorions quand nous étions enfants. L'océan. Un riche trois-mâts. Les pirates au loin. Le capitaine et son chapeau à plumes. La malle emplie de bijoux et de pièces d'or. Et ces maudits pirates, sabre au poignet, un foulard (à tête de mort ?) noué sur le front. Comme l'infante d'Espagne, on avait une peur bleue.

Au fait, les foulards, c'était leur uniforme ? Ou pour faire peur à l'ennemi ?

Pas d'uniforme chez ces malfrats. Ils s'habillaient comme ils le voulaient. Ou plutôt comme ils le pouvaient. Le pirate choisissait ses nippes en fonction de ses richesses personnelles. Mais le plus souvent, il ne choisissait pas. Il se servait sur place pendant les pillages des navires marchands, à la grande époque de la piraterie, aux alentours du XVIIe siècle.

Son foulard n'était absolument en rien le signe d'une distinction honorifique, mais une véritable protection.

Souvent mouillé – d'eau de mer ou de sueur –, le foulard prévenait les insolations. Il protégeait en cas d'incendie (les pirates incendiaient souvent les bâtiments qu'ils prenaient à l'abordage).

Pendant le combat, le foulard interceptait les éclats de bois qui volaient, notamment en cas de coups de canons. Il arrivait même qu'il protège le crâne de son propriétaire d'un coup de sabre mal appuyé.

Ce n'est pas tout. Le foulard remplissait également les basses tâches domestiques : il servait de torchon pour la vaisselle, de serviette pour la toilette, de pansement après les batailles… et même de mouchoir !

Répugnant ? Très élégant, au contraire, de se moucher dans son foulard. Je l'ai vu faire chez Hermès.

Un « *must* », comme ils disent chez Cartier.

Jusqu'à preuve du contraire…

84

Pourquoi
utilisons-nous
deux sortes d'écriture :
les majuscules
et les minuscules ?

L'alphabet comporte vingt-six lettres, vous le savez. Mais souvenez-vous : quand vous avez appris à lire et à écrire, vous avez dû en mémoriser cinquante-deux. Le double ! Chaque lettre s'écrivait – et s'écrit toujours d'ailleurs – de deux façons différentes. En maternelle, les petits appellent ça les lettres « bâton » et les lettres « attachées ». Autrement dit les MAJUSCULES et les *minuscules*…

Aurait-on pu se passer de l'une de ces deux graphies ? Pourquoi avoir compliqué la chose ? Par souci d'esthétique pour enjoliver les ouvrages ? Par souci grammatical pour mieux structurer la phrase ?

Par souci d'économie.

À l'époque du latin, nos quelques ancêtres qui savaient écrire le faisaient seulement en lettres capitales. En réalité, à proprement parler, ils n'écrivaient pas : ils gravaient les mots sur de la pierre ou du bois, à l'aide d'un burin ou d'un ciseau.

Plus tard, l'homme apprit à écrire sur du papyrus et mieux, sur du vélin, un parchemin de grande qualité préparé à partir de la peau de veau mort-né.

Or, le papyrus était rare, et le vélin coûtait cher.

Alors, sous Charlemagne, des moines bénédictins se sont attachés à modifier leur écriture pour la ramasser, la concentrer, en dessinant de nouvelles formes de lettres, plus petites. Ainsi, les copies des textes latins qu'ils réalisaient occupaient moins de surface. D'où de substantielles économies de papyrus et de vélin.

Entre avares et érudits, la pratique de l'écriture en minuscules s'est rapidement transmise. Et l'invention de l'imprimerie, en 1454, l'a consacrée.

Jusqu'à preuve du contraire…

85

Pourquoi
un chien qui a peur met-il sa queue entre ses pattes ?

Peut-être vous êtes-vous déjà apitoyé sur le posture du chien craintif, ou qui vient de se prendre un coup de journal derrière les oreilles. L'animal baisse la tête comme un collégien puni. Mais, surtout, il place instinctivement sa queue entre ses pattes, ce qui le distingue de la collégienne, même non punie.

Par anthropomorphisme, l'expression est passée dans le langage courant. Quand quelqu'un a commis une grosse bourde, lorsqu'il a dû affronter le regard de ses congénères, on dit qu'il est rentré « la queue entre les jambes ». Rien de sexuel là-dedans : l'expression s'applique aussi bien aux femmes qu'aux hommes.

Pourquoi ? Quel rapport entre l'angoisse et l'appendice mobile et poilu de la colonne vertébrale ? Aucun.

L'explication ne réside pas dans la queue, mais dans ce qui se situe au-dessous.

Sous la queue du chien – ceux qui sont à table me pardonneront ces excès de précision – se trouve l'anus. Comme leur nom l'indique, c'est là le siège des glandes anales, indispensables à l'affirmation sociale de l'animal. En effet, ces glandes produisent les odeurs personnelles qui identifient chaque chien vis-à-vis de ses congénères.

Revenons à notre chien apeuré. La pauvre bête cherche par tous les moyens « à se faire oublier ». En rabattant sa queue entre ses pattes, elle masque ainsi sa zone anale, donc réprime les signaux odorants qu'elle produit.

Dans les colonies de loups et de chiens à l'état sauvage, cette attitude de repli permettait au plus faible de reconnaître la supériorité de son rival, et d'éviter ainsi un combat perdu d'avance.

D'autre part, le signal visuel exprimé par la position basse de la queue a son importance. Un animal posté au loin en observateur perçoit instantanément lequel des deux carnassiers est dominant, et lequel est soumis, information de première importance quand la survie est en jeu.

À tel point que ces phénomènes hérités de la vie sauvage n'ont jamais disparu du code génétique de Tobby, malgré plusieurs milliers d'années de domestication, et une pâtée enrichie aux vitamines que Monsieur B., éleveur, utilise comme de la viande fraîche.

Jusqu'à preuve du contraire…

86

Pourquoi y a-t-il des embouteillages sans raison ?

Première, seconde, seconde, première, arrêt… Grrr ! Encore un embouteillage, et rien qui l'explique ! Quand nous étions enfants, mon petit frère s'interrogeait : Mais il fait quoi, le mec de devant ?!? Rien. Le mec de devant n'existe pas. C'est ce que l'on appelle un bouchon sans cause, ou encore un « bouchon fantôme ».

La circulation automobile a des secrets sur lesquels de très nombreuses équipes de chercheurs se sont penchées. Modéliser la circulation présente non seulement un intérêt théorique – le plaisir de comprendre – mais également pratique, puisqu'améliorer le trafic réduit les risques d'accidents, atténue la pollution, et soulage les nerfs.

La circulation automobile peut être modélisée sur le principe de la propagation des ondes, ou encore de la mécanique des fluides. Les chercheurs du MIT (*Massachusetts Institut of Technology*) expliquent les « bouchons fantômes » par un simple incident en amont, minime, le coup de frein d'une seule voiture.

Dans une circulation dense, ou simplement si les distances entre les véhicules ne sont pas assez importantes, un conducteur qui verra une voiture freiner devant lui va avoir pour réflexe de freiner lui aussi, normal, mais avec un peu plus de vigueur que celui qui le précède.

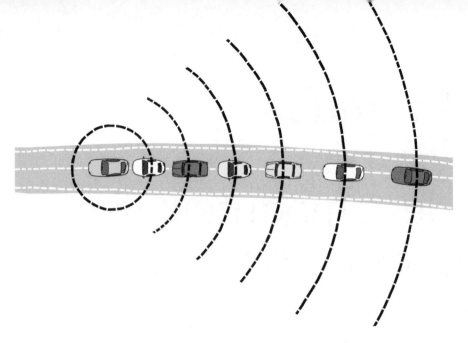

Chaque véhicule procédant ainsi, une onde se crée : la vitesse des véhicules décroît jusqu'à l'arrêt complet. Le laps de temps entre le redémarrage de chaque véhicule augmente, accentuant la « vague » : la première voiture met par exemple une seconde à repartir. Celle qui la suit attend de la voir rouler avant de repartir, augmentant le temps à trois secondes… et ainsi de suite. On estime que la vitesse de propagation de cette onde – qui avance dans le sens contraire de la circulation, bien sûr – est de vingt kilomètres par heure.

Les chercheurs de l'université d'Exeter ont, eux aussi, mis en évidence les types d'incidents qui peuvent créer ces bouchons, en déterminant les conditions propices. Sur une autoroute où la densité de circulation dépasse quinze véhicules par kilomètre, si un camion déboîte pour en doubler un autre alors qu'une voiture est trop proche, un bouchon a toutes les chances de se créer. Ou encore lorsqu'un automobiliste ralentit sans raison, parce qu'il téléphone, par exemple. Au-delà donc des capacités du « tuyau » que représente une autoroute (6 600 véhicules par heure pour une trois-voies), le comportement individuel a donc un impact non négligeable sur la circulation.

À méditer lorsqu'on fulmine dans les embouteillages.

Jusqu'à preuve du contraire…

87

Pourquoi n'arrive-t-on pas à savoir si la Joconde sourit ?

« La Joconde sourit parce que tous ceux qui lui ont dessiné des moustaches sont morts. » André Malraux avait une bonne intuition. Le sourire de la Joconde est certainement l'un des sujets qui a fait couler le plus d'encre sur la planète.

Tout le monde s'est penché sur le sujet, des critiques d'art, des cars de Japonais, mais aussi des médecins. Ainsi Charles Bell, un Américain du XIXe siècle, a-t-il « découvert » chez Mona Lisa les signes évidents d'une paralysie faciale périphérique… On a aussi parlé de syphilis, de problèmes de foie, voire de stress post-traumatique. Car le fond du problème, avant même de déterminer la cause de son sourire, c'est que l'on n'arrive pas à se mettre d'accord pour savoir si effectivement, oui ou non, elle sourit… Son expression est ambiguë.

Une chercheuse, américaine elle aussi, Margaret Livingstone, neurologue à Harvard, a déterminé que notre système de vision est responsable de ces atermoiements.

Observons.

La Joconde
(détail)

Lorsque nous regardons le haut du visage, que nous fixons Mona Lisa dans les yeux, les ombres du reste du visage sont perçues par notre vision périphérique qui croit alors déceler un sourire. Mais lorsque nous regardons directement les lèvres, nous ne le voyons plus vraiment. Car nous faisons alors appel à la région centrale de la vision, celle qui s'attache aux détails et aux couleurs.

C'est bien la technique de Léonard de Vinci qui induit l'hésitation. Ce fameux *sfumato* qui vient d'être étudié de près. Grâce au spectromètre à rayons X, il a été possible de l'analyser sans faire de prélèvements de peinture. Philippe Walter, directeur du Laboratoire du centre de recherches des Musées de France, explique la technique du peintre : « Il a superposé plusieurs couches, et notamment pour faire les ombres, cet effet qui va donner le sourire, le relief du visage… une technique que l'on appelle le glacis. » Il note aussi que les couches de peinture successives sont d'une finesse extrême, à tel point que l'on ne parvient pas à voir la trace du pinceau…

À noter que *La Joconde* est parmi les premiers modèles de l'histoire de la peinture à sourire… ou pas.

Jusqu'à preuve du contraire…

88

Pourquoi les femmes ouvrent-elles grand la bouche quand elles se maquillent les yeux ?

Quel que soit votre sexe, vous l'avez constaté en admirant Michel Serrault dans *La Cage aux folles*. Les femmes ouvrent la bouche comme un four pour se parer les cils de mascara.

Bizarre. Elles ne se maquillent pas les dents, pourtant. Pour comprendre, j'ai posé cent fois la question aux jolies femmes de mon entourage (et même aux moches, pour vous dire si ça fait du monde). Toutes affirment que c'est un réflexe. Quel genre de réflexe ?

Lorsque nous étions enfants, nous tirions la langue – au sens propre et au sens figuré – quand nous devions réaliser une prouesse : colorier un dessin, tracer à l'encre un *W* majuscule, construire une locomotive en Lego. Selon les pédiatres, cette attitude avait pour but de nous aider à nous concentrer sur ces tâches dantesques.

Le fait d'ouvrir la bouche pourrait n'être donc qu'une réminiscence de ce « tirage de langue » enfantin. Mais cette hypothèse suscite deux objections : pourquoi, dans ce cas, les femmes ouvrent-elles la bouche, plutôt que de tirer la langue ? Et surtout : pourquoi ouvrent-elles la bouche quand elles s'occupent de leurs cils et non plus lorsqu'elles tentent d'autres opérations délicates, comme enfiler une boucle d'oreille ?

Un réflexe idiot, disent les misogynes. Un réflexe inconscient, concède l'esthéticienne du coin qui a fermé boutique avant qu'on ait eu le temps de lui faire remarquer qu'un réflexe conscient ne serait plus un réflexe. En tout cas, le misogyne et l'esthéticienne se rejoignent sur un point : dames et demoiselles n'ouvrent pas la bouche par hasard.

Homme ou femme, savez-vous ce que nous faisons chaque jour des milliers de fois sans nous en rendre compte ?

Cligner des yeux.

Un acte qui ne dérange rien ni personne. Sauf… celle qui a besoin de s'enduire les cils de mascara. Or, ouvrir la bouche en grand atténue fortement le réflexe de clignement des yeux. Essayez devant votre glace pour vous en convaincre.

D'autre part, quand vous écarquillez la bouche, Mesdames, vous étirez et contractez les muscles de la face, des joues, mais aussi des paupières. Vos longs cils restent ainsi parfaitement immobiles. Vous pouvez enfin vous apprêter avec le soin que demande votre chère personne.

Mais pas votre cher mari, impatient, qui vous attend pour sortir.

Jusqu'à preuve du contraire…

89

Pourquoi l'emblème de la France est-il le coq ?

Allons z'enfants de la pa-tri-i-eu !... [Refrain connu.]

Je l'avoue, il m'arrive d'être un peu chauvin de temps en temps. C'est vrai qu'ils nous font parfois battre le cœur, dans les compétitions internationales, les sportifs français avec leur coq sur la poitrine (et une étoile en prime dans le cas de nos footballeurs, dont le Q.I. approche même parfois celui de la volaille).

Le premier document où le coq représente la France est une médaille de 1665 pour la libération du Quesnoy. On peut y lire cette inscription : « Le coq français met en fuite le lion espagnol. »

Sous la Monarchie de Juillet et la Seconde République, le coq devient emblème officiel et apparaît sur les drapeaux des régiments. Il figure sur le sceau de la République depuis 1848 : la Liberté assise tient un éventail orné d'un coq.

Drôle d'idée d'avoir élevé le mari de la poule au rang de symbole de la nation : c'est un volatile arrogant, braillard, paniquard. Pas plus haut que le genou d'une vieille, il sait à peine voler.

Nos amis anglais ont leur explication : les Français ont choisi le coq comme porte-drapeau car il est le seul animal qui soit capable de chanter les deux pieds dans la merde…

Erreur. Ce n'est pas une question de comportement, mais de vocabulaire.

En latin, *gallus* signifie à la fois « coq » et « gaulois ». C'est aussi simple que ça. Un jeu de mot latin. Exactement comme la ville de Lyon qui a choisi un lion comme emblème. C'est un peu comme si les îles Sandwich avaient un casse-croûte sur leur drapeau *(voir ci-dessus)*. Ou un jeu de fiches pour le canal de Bristol (possession britannique).

En réponse aux Rosbifs, Cocteau a répliqué : « Qu'est-ce que la France je vous le demande ? Un coq sur un fumier. Ôtez le fumier, le coq meurt. C'est ce qui arrive lorsqu'on pousse la sottise jusqu'à confondre tas de fumier et tas d'ordures. »

Le même Cocteau qui avait vu juste : « Un Français, c'est un Italien qui fait la gueule. »

Jusqu'à preuve du contraire…

90

Pourquoi y a-t-il 90 départements ?

Je sais, j'ai écrit « 90 » alors qu'en réalité, la France comporte 101 départements, depuis le vote des habitants de Mayotte qui ont quitté leur statut de territoire d'outre-mer pour devenir un département à part entière.

Mais je repense avec nostalgie au jeu des plaques minéralogiques, invention des parents pour faire passer le temps en voiture quand les consoles de jeu n'avaient pas encore été inventées. La liste allait de 01 (Aisne) à 90 (Territoire de Belfort), en passant par 75 (Parigots têtes de veau). À cette liste s'ajoutaient les départements de banlieue parisienne et des Dom-Tom, mais ils étaient hors concours, car l'ordre alphabétique n'y était plus respecté.

Pourquoi ces départements ? Pourquoi ce nombre ? Pourquoi pas des grosses régions, comme en Allemagne, ou des États, comme aux États-Unis ?

La création des départements est née en France il y a plus de deux siècles d'une volonté d'améliorer l'organisation administrative du pays. Sous l'Ancien Régime, en effet, les sphères d'influence des seigneurs, de l'Église, de l'administration royale se chevauchaient sans forcément correspondre les unes aux autres. D'où une complexité à laquelle certains, dès le début du XVIIIe siècle, ont voulu remédier.

Les révolutionnaires, dès 1789, ont réfléchi à une nouvelle organisation…

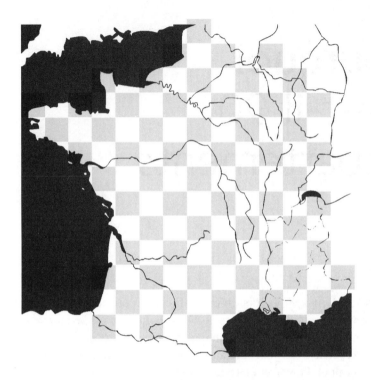

Un découpage en carrés de dix-huit lieues de côté, avec des sous-découpages en communes et cantons. Le principe est adopté le 11 novembre 1789 *(voir ci-dessus, à partir de la carte d'époque de Sieyès-Thouret, le quadrillage d'origine)*. Finalement, on suivra les particularités géographiques en abandonnant le carré strict. Ce découpage obéit à un principe simple : de n'importe quel endroit du département, on peut atteindre la préfecture située au centre en moins d'une journée de cheval. C'est ce qui déterminera leur taille. Et par conséquent leur nombre. (Les communes répondent à une exigence similaire : on doit pouvoir en parcourir le territoire à pied dans la journée.)

Le projet initial comportait 80 départements – plus Paris –, étendus à 83 au moment de sa réalisation. Ensuite, ce nombre a évolué en fonction des victoires et défaites de l'armée, notamment celle de Napoléon.

Jusqu'à preuve du contraire…

91

Pourquoi les palmiers penchent-ils au bord de l'eau ?

C'est un cliché de rêve, sur les cartes postales des pays chauds, ou les publicités pour savonnettes. Une petite île, l'océan, le soleil, du sable à perte de vue… et en bordure de plage, des bananiers, des cocotiers, des palmiers.

Invariablement, les palmiers s'inclinent, toujours vers les flots. C'est un double pourquoi. Pourquoi penchent-ils ? Pourquoi vers la mer ?

Certainement pas à cause du vent. Imaginons un îlot du Pacifique, où soufflerait la brise du sud. Toute l'année. Les palmiers pencheront alors vers le nord. Donc sur les plages orientées au nord, les palmiers s'inclineront vers l'eau. Mais sur les plages opposées, orientées sud, comme le vent vient du sud, les palmiers pencheraient alors vers l'intérieur des terres. (Sans oublier que sur les plages d'est, et d'ouest, les palmiers devraient pencher latéralement, une fois à droite, une fois à gauche…)

L'explication est plus lumineuse que cela. À tous les sens du terme. Et pour cause. Certaines espèces de palmiers jouissent d'une capacité particulière : celle de pouvoir s'orienter vers la lumière. Ce phénomène, très lent, s'appelle « phototropisme ». Il est gouverné par les hormones de la plante. Si vous placez votre lierre près d'une fenêtre, il va imperceptiblement mais méthodiquement se tourner et diriger ses pousses dans sa direction. Cela peut prendre des mois. En comparaison, la rotation quotidienne du tournesol fait office de girouette.

Revenons à notre palmier sur sa plage. Il recherche les rayons lumineux, indispensables à sa croissance. Ceux du soleil, évidemment. Mais aussi ses reflets dans l'eau. L'océan lui tient lieu de miroir. Résultat : en s'inclinant, le végétal capte le maximum de luminosité.

Et les palmiers qui se tiennent droit ? Certes, il y en a ! Mais on ne les montre jamais sur les cartes postales. Le rêve doit s'incliner.

Jusqu'à preuve du contraire…

92

Pourquoi trempe-t-on ses croissants dans du café au lait ?

Tous les nutritionnistes vous assurent qu'il n'y a rien de plus indigeste pour commencer la journée. Et pourtant, nous adorons mélanger notre café à du lait, et l'accompagner de pâtisseries (copieusement lipidiques).

D'où vient cette coutume ?

De très loin. Transportons-nous dans la ville de Vienne, en Autriche, assiégée par les Turcs au XVIIe siècle. Au prix de farouches combats, avec l'aide de Charles de Lorraine et du roi de Pologne, les Viennois repoussent l'envahisseur. Les Turcs fuient en abandonnant derrière eux leurs stocks de café. Un certain Kulyesiski, héros de la bataille, récupère ces sacs de café. Et là, en 1683, il fait trois choses extraordinaires.

Il ouvre à Vienne le premier « café » de l'Histoire, alimenté grâce à son stock. Ne disposant pas de sucre, Kulyesiski mélange le café à du lait pour l'édulcorer, autrement dit le rendre moins amer.

Enfin, il sert aux tables des petites brioches en forme de croissant – symbole de l'Empire ottoman –, en souvenir de la victoire.

Café, lait, croissant : trilogie complète. Et miracle diététique.

Jusqu'à preuve du contraire…

93

Pourquoi
le chat miaule-t-il sans cesse pour sortir, alors qu'à peine sorti, il miaule pour rentrer ?

Vous connaissez les chats. Et leurs miaulements à fendre l'âme. Quand ils viennent de rentrer, ils veulent sortir. Et quand ils viennent de sortir, ils veulent rentrer. On croirait qu'ils nous narguent !

Les humains en ont déduit que les chats sont des êtres capricieux. Les paranos les jugent pervers. Aux misogynes, ils rappellent leur femme.

Rien de cela. Simplement, malgré leur suprême intelligence, les chats n'ont pas encore su intégrer notre concept de porte.

Alors que nous voyons les portes comme des ouvertures, le chat les considère au contraire comme des obstacles, qui lui barrent la route dans ses rondes d'inspection.

Car depuis des millénaires, avec le calme et la régularité d'un coucou suisse, chaque chat fait « le tour du propriétaire » pour surveiller son territoire.

Miaow...

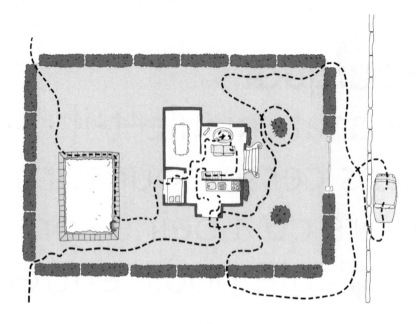

Pourquoi ces vérifications répétées ? À cause du système de marquage par les odeurs. Chemin faisant, le chat se frotte contre des repères qu'il sélectionne ; parfois il les arrose d'urine. Ainsi, il laisse des molécules qui portent sa griffe personnelle, mais qui aussitôt commencent à se disperser.

Ce déclin s'effectue toujours à la même vitesse. Les autres chats peuvent ainsi savoir depuis combien de temps votre matou n'est pas venu dans les parages.

Pour votre chat, la pelouse et le couloir de votre maison ne forment qu'un seul et même territoire. Il veut tout pouvoir contrôler. D'où ses jérémiades sans fin, pour sortir, rentrer, et réciproquement.

Si vous habitez en ville, ne croyez pas que la sarabande cessera quand vous emménagerez dans un appartement plus grand. À l'état sauvage, les chats règnent sur une immense surface : plus de 85 hectares. L'équivalent de 150 terrains de football ! Les chats de ferme, domestiqués mais libres de leurs mouvements, utilisent presque autant d'espace. Les mâles demandent 75 hectares, les femelles une dizaine.

Autre chose qu'un F3 de 65 m^2 à arpenter (68 avec le balcon).

Jusqu'à preuve du contraire…

94

Pourquoi
les beaux quartiers de Paris sont-ils à l'ouest ?

Vous avez peut-être déjà eu l'occasion d'arpenter à Paris ce qu'on appelle « les beaux quartiers ». À savoir le XVIe, le VIIe, le VIIIe, et une partie du XVIIe (baptisée « le bon XVIIe », c'est-à-dire son versant ouest). Mais j'entends d'ici la Marquise du Bout Du Manche de la Brosse, le petit doigt levé sur sa tasse de thé, qui se fend d'un délicat couinement : vous oubliez Neuilly ? Exact. Neuilly-sur-Seine est la seule commune de banlieue ayant trouvé grâce aux yeux des élites. Et comme par hasard, Neuilly se trouve à l'ouest de la capitale. Retenez cet étrange procédé mnémotechnique : sur la carte, les riches sont à gauche.

Pour quelle raison ? Dans l'histoire de Paris, les castes sociales privilégiées ont commencé à se regrouper géographiquement depuis le XVIIe siècle. Auparavant, la ségrégation opérait de manière non pas horizontale, mais verticale : les nantis habitaient au premier et au deuxième, les classes pauvres occupaient les étages élevés, et le petit personnel s'entassait sous les toits. Puis l'arrivée de l'électricité et donc de l'ascenseur a remodelé le paysage urbain. Tous les étages se valaient.

Certes, la prédominance de certains arrondissements a varié. Vers 1850, un quart des membres du très chic Jockey-Club résidait dans le IXe arrondissement. En 1909, ils représentaient moins de 2 %. Aujourd'hui, on les cherche.

En un siècle, les grandes familles ont élu l'ouest. Sur quels critères ? La proximité du bois de Boulogne ? Discutable. À l'est, le bois de Vincennes aurait pu également servir de pôle d'attraction. L'entourage de belles demeures ? Certainement pas. Car c'est d'abord à l'est que s'est construit le prestigieux Paris. De la place des Vosges aux inestimables hôtels particuliers du Marais, sans oublier l'île de la Cité.

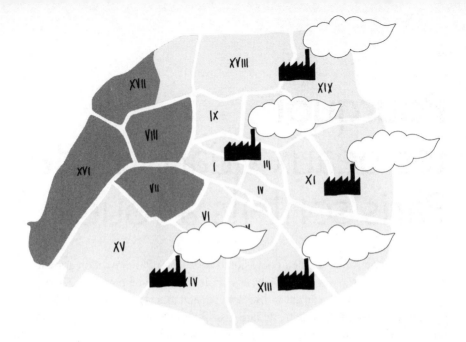

La seule explication objective repose sur… du vent. Oui ! Sur du vent !

À Paris, la bise souffle principalement de l'ouest vers l'est. Par conséquent, les quartiers ouest sont moins exposés que d'autres aux fumées domestiques et industrielles.

Et il y en a eu ! Des fabriques en tout genre, des tanneries et des fonderies aux hautes cheminées odorantes. Et aussi des industries : n'oublions pas que les usines Citroën se trouvaient d'abord sur les berges de la Seine (face au pont Mirabeau) sur ce qui deviendra justement le quai André-Citroën.

Sans compter les âcres fumerolles qui s'échappaient de chez le bougnat de la rue Mouffetard. Bois, charbon et tord-boyaux…

Et puis, il y a une seconde raison, moins rationnelle, mais qui a tout autant marqué les esprits. C'est que toutes les invasions récentes se sont faites par le nord et l'est. Les Prussiens en 1870, les Allemands en 1914 puis en 1940. Par un réflexe un peu vain, l'est a été déserté, car jugé moins sûr.

On en viendrait presque à regretter les Anglais.

Jusqu'à preuve du contraire…

95

Pourquoi les chevaux peuvent-ils dormir debout ?

Vous connaissez cette imagerie de western : la nuit tombe, le *cow-boy* s'assoupit au pied du feu, enroulé dans une couverture. À côté de lui, attaché à un arbre, son cheval reste debout. Et il s'endort comme ça.

J'ai longtemps cru que c'était du cinéma. Pas du tout. Les chevaux peuvent certes dormir couchés (j'allais dire comme tout le monde), mais également debout. Pourquoi ?

Bien avant d'être domestiqués par l'homme, les chevaux dormaient debout pour des raisons de survie. En effet, à l'état sauvage, leur seule défense en cas d'agression de prédateurs consistait à fuir. Rapidement et immédiatement. Ils étaient donc beaucoup moins vulnérables debout, et beaucoup moins susceptibles d'être pris par surprise qu'en étant couchés, y compris pendant leur sommeil.

Reste l'énigme physiologique : comment font-ils ? Généralement, pour se tenir droit, les mammifères doivent fournir un travail musculaire. C'est valable chez le chien comme chez l'homme. Voilà pourquoi il est pénible de rester longtemps sans s'asseoir : les acariâtres vendeuses des grands magasins en savent quelque chose.

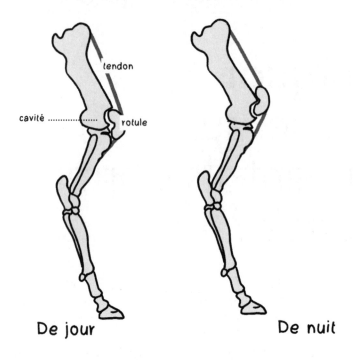

tendon

cavité .... rotule

De jour   De nuit

Or, les chevaux possèdent un mécanisme de stationnement vertical qu'on appelle « par accrochement de la rotule », qui leur permet de reposer leurs membres inférieurs. Ici, cette belle astuce de la nature réside au niveau des os. La rotule vient se placer au-dessus d'un relief particulier du fémur, qui empêche la patte de plier, à la manière d'un cran d'arrêt. Une fois la rotule ainsi bloquée, les muscles sont relâchés. Même une pression de plusieurs tonnes ne peut faire fléchir le membre. Pas de quoi réveiller un cheval. Seul l'animal pourra à nouveau faire plier son membre, en contractant un muscle particulier. Dans quelques cas rarissimes, le cheval ne parvient plus à se « décrocher » de lui-même : le vétérinaire doit alors opérer au niveau des ligaments pour le débloquer.

J'y pense ! Réalisez-vous les avantages si l'homme pouvait à son tour disposer de cette « rotule spéciale » ? On pourrait dormir debout dans les couloirs du train les jours d'affluence. Gare aux coups de frein !

Jusqu'à preuve du contraire…

96

Pourquoi Michel-Ange a-t-il peint le plafond de la chapelle Sixtine ?

C'est peut être le plus beau monument du monde. Du moins d'Italie. Du moins de Rome. La chapelle Sixtine, nommée ainsi en hommage à son commanditaire, le pape Sixte IV della Rovere, fut construite au XVe siècle. Ses dimensions – 40,23 m de long, 13,40 m de large et 20,40 m de haut – sont réputées être celles du temple de Salomon, détruit en 70 de notre ère. Michel-Ange n'y est pour rien. L'édifice fut achevé en 1483, alors qu'il avait à peine huit ans.

Jusqu'en 1507, le plafond était décoré d'une voûte étoilée, traditionnelle dans les chapelles. Les plus grands artistes de l'époque avaient participé à sa décoration (Le Pérugin, Botticelli, Ghirlandaio, Rosselli…).

Mais un événement va changer les choses. Le 18 avril 1506 est posée la première pierre de la basilique Saint-Pierre de Rome, juste à côté de la chapelle Sixtine. La dépouille de saint Pierre est censée être ensevelie sous ses fondations (« Tu es Pierre, et sur cette pierre je bâtirai mon église »…). C'est d'ailleurs ces travaux colossaux qui vont être à l'origine de la fracture entre catholiques et protestants : ils coûtent si cher que l'Église les finance en monnayant les Indulgences, pratique contre laquelle va s'élever Martin Luther. Mais c'est une autre histoire.

Les travaux sont colossaux et font bouger le sous-sol. La chapelle Sixtine est traversée par une énorme fissure, qui nécessite une consolidation très visible. Les plafonds sont ruinés… Le pape Jules II charge Michel-Ange de refaire entièrement le plafond. L'artiste accepte.

Comme il est impossible de totalement masquer les fissures, il se servira de certains motifs pour opérer des changements de couleur. Et pour masquer les infiltrations d'eau, idée de génie : il dessinera des nuages qui épouseront le contour des fuites…

Il a beaucoup travaillé sur les pigments utilisés, notamment le bleu, afin d'éviter les désagréments connus par des confrères. L'azurite, utilisée traditionnellement, présente en effet l'inconvénient de ne pas supporter l'humidité. Un dégât des eaux dans la chapelle d'Arena a ainsi abouti à un changement de tous les bleus en vert… Michel-Ange a donc utilisé de l'outremer pour éviter ce risque.

Il sera payé 3 000 ducats (environ 48 000 de nos euros) pour un travail de quatre ans. D'abord secondé par des ouvriers, il les renvoie tous et travaille seul, sur un échafaudage qu'il faudra démonter et remonter trois fois.

Les bons artisans, y a que ça de vrai !

Jusqu'à preuve du contraire…

97

Pourquoi les intellectuels ont-ils créé la légende du café de Flore ?

Le Flore, le café des intellectuels, le haut lieu de la vie culturelle pendant la Seconde Guerre mondiale et après... Sartre et Beauvoir, Saint-Germain-des-Prés... C'est une légende qui s'est écrite entre les murs de cette brasserie.

Mais pourquoi celle-ci plutôt qu'une autre ?

Parfois, les légendes tiennent à des détails très triviaux...

Mais n'anticipons pas. Le Flore, c'est d'abord le repaire de Guillaume Apollinaire, qui en fait son bureau dès 1913, y présente André Breton à Philippe Soupault, y invente le terme de « surréalisme », bref, commence à forger sa glorieuse réputation. Dans les années 1930, habitude est prise pour certains auteurs de s'y retrouver (Raymond Queneau, Robert Desnos, Léon-Paul Fargue...).

Mais c'est pendant la Seconde Guerre mondiale que va se jouer la naissance de la légende.

La guerre et ses privations...

Le café de Flore, en effet, présente alors l'immense – et rare – avantage de posséder un gros poêle à bois. En plein milieu de sa salle. Qui fonctionne toute la journée. Le patron de l'époque, Paul Boubal, ne voit pas d'inconvénient à ce que les écrivains restent toute la journée, au chaud, à écrire, recevoir leurs rendez-vous, etc. – il l'encourage même, conscient de l'esprit que cela donne aux lieux. Dès lors, l'habitude est prise, et la fin des hostilités ne changera pas la coutume.

On dit aussi que les Allemands n'entraient pas au Flore. Écoutons Christophe Boubal*, petit-fils du propriétaire : « Dans Paris occupé, le Flore avait la réputa-tion d'être un îlot de résis-tance passive. Quand un Allemand entrait, les clients faisaient silence et il sentait vite qu'il n'était pas le bienvenu. »

Jusqu'à preuve du contraire…

* Christophe Boubal, *Café de Flore, l'Esprit d'un siècle*, Lanore Litterature.

98

Pourquoi croise-t-on les doigts pour porter chance ?

Vous connaissez cette inoffensive petite manie, et peut être qu'il vous arrive de la pratiquer.

Vous évoquez la météo, ou votre compte en banque, et vous lancez : « S'il fait beau le week-end prochain, je croise les doigts… », ou bien : « Si la TVA baisse, je croise les doigts… », etc.

La rengaine sanctionne un événement que vous souhaitez, mais dont l'issue est loin d'être certaine.

Mais concrètement, objectivement, en quoi croiser les doigts peut-il améliorer votre sort ? Vous n'en savez rien ? Pourquoi le faisons-nous, alors ?

Ce sont les premiers chrétiens qui ont utilisé ce geste. Les doigts croisés représentent la croix, symbole fondamental du christianisme. Une coutume ancienne voulait que deux personnes croisent leurs index pour souhaiter bonne chance, reproduisant ainsi le symbole de la croix.

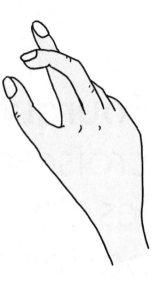

À une époque où il ne faisait pas bon afficher sa foi chrétienne, où les persécutions romaines étaient nombreuses, ce signe est devenu un porte-chance.

Par ailleurs, les doigts croisés peuvent aussi symboliser le poisson. Le poisson est présent dans l'Ancien Testament comme dans le Nouveau Testament (pêche miraculeuse, multiplication des pains et des poissons…), il représente également l'eau du baptême. Le terme grec *ychtus*, qui signifie « poisson » est aussi l'acrostiche (la première lettre de chaque mot) de « Jésus-Christ, Fils de Dieu, Sauveur ».

Vous partez à la pêche ce week-end ? Vous espérez du beau temps et des poissons ? Je croise les doigts.

Jusqu'à preuve du contraire…

99

Pourquoi
les *punks* portaient-ils des épingles à nourrice ?

Tout est parti de la rage incommensurable que portait en lui Johnny Lydon, le futur Johnny Rotten, chanteur des Sex Pistols.

Londres, 1975. John a dix-neuf ans. Il est parti de chez lui, il vit dans un *squatt* à Hampstead – quartier résidentiel de Londres – et vomit la société dans laquelle il a vu le jour. Il a vécu une enfance misérable, une méningite a achevé de le mettre à l'écart des autres et il bout d'une rage qu'il exprime par des moyens divers. Il s'est coupé les cheveux, en rupture avec les hippies, les a teints en vert. Pour les vêtements, même technique : il achète, ou récupère, des costumes à bas prix, les lacère à coups de ciseaux et fait tenir les morceaux avec des épingles à nourrice. Une façon de refuser jusqu'aux codes vestimentaires. Attifé ainsi, il se balade sur King's Road, où se situent alors les boutiques de vêtements les plus en vue. On y trouve notamment la boutique SEX, dirigée par Vivienne Westwood. Elle est mariée à Malcolm McLaren, futur *manager* des Sex Pistols, qui proposera à Johnny de devenir le chanteur du groupe… Vivienne Westwood, de son côté, intègre l'épingle à nourrice dans ses créations. Mais ce n'est pas tout. McLaren admet avoir reconnu dans ce visuel les affiches parisiennes de Mai 68 qui l'avaient tant impressionné à l'époque.

1968   1977

Avec l'explosion *punk*, les jeunes en rupture avec la société de consommation adoptent toutes les attitudes provocatrices possibles. Sans aller jusqu'au collier de chien de Siouxsie and the Banshees, ou les croix gammées de Sid Vicious, l'épingle à nourrice se généralise, et passe des vêtements au corps, en *piercing*, histoire de faire frémir dans les chaumières. Les effets de mode et le suivisme s'incrustent partout, y compris chez les « keupons » qui prétendent vomir la mode.

Sartre avait prévenu : « Il n'est pas de sentiment plus communément partagé que de se vouloir différent des autres. »

Jusqu'à preuve du contraire…

Pourquoi
les scores d'élections tournent-ils toujours autour de 50-50 ?

Les pays occidentaux dénoncent avec raison les scrutins des démocraties « populaires » qui donnent invariablement gagnant le « bon » candidat. Comme le président tunisien Ben Ali réélu avec 89,92 % des voix en 2008. Au Turkménistan, le président Berdimuhamedow a fait mieux en 2007 : 89,23 % des suffrages. Mention spéciale à Paul Biya, le président du Cameroun, petitement élu avec 70,92 % en 2004, mais qui a battu à l'occasion un record mondial : un bureau de vote de Douala a établi en sa faveur un score de 106 %.

Une popularité qui fait rêver. Valéry Giscard d'Estaing a été élu en 1974 avec seulement 50,81 % ; Mitterrand avec 51,76 % puis 54,02 % en 1988 ; Chirac 52,64 % ; en 2007 Sarkozy 53,06 %, et enfin François Hollande avec 51,63 % des voix (alors que certains sondages l'annonçaient à 62 % !).

Ce n'est pas sans poser certains problèmes. Difficile d'admettre que la gouvernance d'un pays entier ne dépende que de « quelques » voix – l'exemple extrême étant la première élection de George Bush, aux États-Unis, déterminée par 537 suffrages dans l'État de Floride.

Ce paradoxe verse certains dans la théorie du complot. C'est étrange en effet : statistiquement, par quel miracle une population se sépare-t-elle invariablement en deux camps de même importance ?

Réponse en deux temps. Une fois qu'il a rassemblé son camp, tout candidat doit aller « draguer » dans le camp adverse, pour récupérer les petits 2 % ou 3 % qui lui manquent pour obtenir la majorité.

Il doit avoir son programme à lui, certes, mais aussi des mesures qui séduisent ses adversaires. La technique : chiper à l'autre camp quelques-uns de ses thèmes. On appelle cela la triangulation. Ainsi, Chirac a fait campagne contre la fracture sociale en 2002 (mesure de gauche). En 2007, Ségolène Royal a préconisé de recycler les anciennes casernes en centres pour mineurs délinquants (mesure de droite), pendant que Nicolas Sarkozy promettait de gouverner au nom des droits de l'Homme et de l'écologie (valeurs de gauche).

Tout est affaire de compromis. Le résultat de ce positionnement suit une courbe de Gauss, reconnaissable à sa forme caractéristique en cloche. Plus un candidat se rapproche idéologiquement de l'autre camp, plus son score monte. Le maximum se situant justement au centre, aux alentours des 50 % :

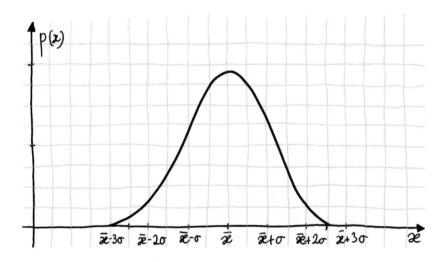

Les mathématiciens nous apprennent qu'une fonction gaussienne est une fonction en exponentielle de l'opposé du carré de l'abscisse. Du genre :

$$f(x) = \frac{1}{\sigma\sqrt{2\pi}} e^{-\frac{(x-\mu)^2}{2\sigma^2}}$$

(Je reconnais que ça peut paraître hermétique présenté ainsi, cependant tout s'éclaire dès lors qu'on réalise que μ représente l'espérance mathématique, alors que σ est l'écart-type.)

Mais attention : ce qu'on gagne en x, on le perd en x^2. En clair : toute mesure supposée séduire le camp adverse peut, en retour, causer une désaffection au sein de vos propres troupes. Autrement dit : en même temps qu'untel gagne dix voix à droite, il en perd cent à gauche. Et inversement.

Illustration lors de la campagne présidentielle de 2002, Lionel Jospin a voulu rassurer l'électorat conservateur en déclarant en direct à la télévision : « Mon programme n'est pas socialiste. » Le résultat fut calamiteux. Le peuple de droite a pris cet aveu pour une manœuvre et n'y a pas cru, tandis que le peuple de gauche, outré par ce renoncement aux valeurs historiques, a reporté ses voix sur les autres candidats de gauche, qui eux, osaient s'en réclamer : Chevènement, Taubira, Buffet ou Besancenot. Verdict des urnes : donné favori par les sondages, Lionel Jospin n'a même pas été présent au second tour, qui s'est soldé par un duel Chirac/Le Pen déséquilibré (82,21 %).

Inversement, si vous ne privilégiez que votre propre camp, sans jamais aucun compromis, vous finissez comme les Trotskistes ou les Chasseurs, condamnés à rester marginaux, car trop éloignés des aspirations de tout un chacun.

Voilà pour l'enseignement des politologues. Il faut maintenant ajouter à cela le bouquet final : la logique des sondages et leurs correctifs. C'est peut-être le plus important.

Les statisticiens ont étudié la dynamique d'opinion, ils ont mis en évidence un mécanisme particulièrement intéressant : les comportements individuels dits

« contrariants ». Pour faire simple, certaines personnes – de plus en plus nombreuses dans nos sociétés – fondent leurs choix politiques non pas sur des convictions, mais sur l'opposition au choix majoritaire des individus qui les entourent. Ils votent pour le candidat donné perdant par les sondages. Dès lors que l'on se trouve dans une compétition entre deux camps, ces électeurs peuvent basculer en fonction des événements vers un bord ou l'autre, tendant à équilibrer le résultat de l'élection. Et comme une élection se joue à quelques pourcentages d'écart, cela suffit à nous ramener à 50 %.

Rappelez-vous le référendum européen de mai 2005. Pendant un an, tous les sondages annonçaient le oui vainqueur. C'est le non qui l'a emporté (55 %).

Pour tout ce qui est contre, contre tout ce qui est pour.

Jusqu'à preuve du contraire…

Table •

35 Pourquoi les noms des voitures Peugeot ont-ils un zéro au milieu ?

36 Pourquoi Mickey Mouse porte-t-il des gants ?

37 Pourquoi les panneaux de STOP sont-ils octogonaux ?

38 Pourquoi la fusée Ariane décolle-t-elle de Kourou ?

39 Pourquoi la femelle du chat crie-t-elle pendant l'accouplement ?

40 Pourquoi les culottes de golf ont-elles une forme spéciale ?

41 Pourquoi cogne-t-on les verres pour trinquer ?

42 Pourquoi les médecins nous tapent-ils dans le dos ?

43 Pourquoi, au théâtre, y a-t-il le côté cour et le côté jardin ?

44 Pourquoi la nuit, en voiture, a-t-on l'impression que la lune nous suit ?

45 Pourquoi les araignées ne s'engluent-elles pas dans leur propre toile ?

46 Pourquoi les vautours n'ont-ils pas de plumes autour du cou ?

47 Pourquoi le noir amincit-il la silhouette ?

48 Pourquoi les rayures horizontales alourdissent-elles la silhouette (alors que les rayures verticales l'amincissent) ?

49 Pourquoi nos dents ne poussent-elles pas définitivement, en une seule fois ?

50 Pourquoi les étoiles sont-elles inégalement réparties dans le ciel ?

51 Pourquoi lève-t-on le pouce vers le haut pour dire que tout va bien ?

52 Pourquoi les zèbres ont-ils des rayures ?

53 Pourquoi les avaleurs de sabres ne s'égorgent-ils pas ?

54 Pourquoi, quand on ouvre une bouteille de champagne, commence-t-on par tourner le bouchon sur lui-même, plutôt que de le tirer directement vers le haut ?

55 Pourquoi les dromadaires ont-ils une bosse ? Et pourquoi les chameaux en ont-ils deux ?

56 Pourquoi, à la campagne, deux maisons qui se suivent n'ont pas des numéros qui se suivent ?

57 Pourquoi se serre-t-on la main pour se dire bonjour ?

58 Pourquoi le sigle du dollar est-il $?

59 Pourquoi la ville que l'on cherche est-elle *toujours* au bord de la carte ?

60 Pourquoi y a-t-il 60 minutes dans une heure ?

61 Pourquoi les chiffres sont-ils disposés différemment sur une calculatrice et sur un téléphone ?

62 Pourquoi les cuisiniers portent-ils une toque ?

63 Pourquoi les fautes typographiques ont-elles été baptisées des « coquilles » ?

64 Pourquoi les dents de sagesse n'ont-elles presque jamais la place de pousser ?

65 Pourquoi l'enseigne des bureaux de tabac est-elle un losange rouge ?

66 Pourquoi dit-on « merde » pour porter chance avant un spectacle ?

67 Pourquoi les kangourous sautent-ils si haut ?

68 Pourquoi les abeilles tournent-elles autour de la nourriture, sans y toucher ?

69 Pourquoi les voilages ne laissent-ils passer la lumière que dans un seul sens ?

70 Pourquoi le terme « *bug* » désigne-t-il une erreur informatique ?

71 Pourquoi n'y a-t-il pas de « IV » sur une horloge ?

72 Pourquoi les oies volent-elles en « V » ?

73 Pourquoi a-t-on les yeux rouges sur les photos prises au flash ?

Pourquoi remercier Anne-Julie Bémont,
Béatrice Calderon, Philippe Chaffanjon,
Pierre-Marie Christin, Sylvie Denis,
Cathy Karsenty, Camille Lucet,
Philippe Robinet, sans oublier Caroline Sers ?
Pourquoi ?
Parce que !

Les Editions KERO utilisent des papiers composés de fibres naturelles, renouvelables, recyclables et fabriqués à partir de bois issu de forêts qui adoptent un système d'aménagement durable.

CPi
AUBIN IMPRIMEUR

Aubin Imprimeur - *Ligugé* D.L. octobre 2012 / Impr. : 1208.0300